LA PHILOSOPH
SOCIALE DANS
LE THÉÂTRE D'IBSEN

Ossip Lourié

A M. EMILE ZOLA

TRÈS HONORÉ MAÎTRE,

Vous avez le premier introduit en France le théâtre d'Henrik Ibsen. Ce n'est pas la seule raison pour laquelle j'inscris votre nom sur la première page de mon travail. Il y a deux ans, j'ai eu l'honneur d'être chargé par un groupe d'écrivains étrangers de vous transmettre l'expression de leur profonde admiration pour l'oeuvre de justice et d'équité dont vous veniez de jeter les premiers jalons. Par votre campagne, terrible et sublime, vous avez prouvé que la conception générale des drames d'Ibsen n'est point une chimère: La solution du problème social de l'humanité s'obtient par le réveil de la conscience et de la volonté individuelles.

Veuillez me conserver, je vous prie, Maître, votre bienveillance.

OSSIP LOURIÉ

INTRODUCTION

I

Ce n'est pas le théâtre d'Henrik Ibsen que je me propose d'étudier dans ce volume; mon but, c'est de dégager la philosophie sociale qu'il renferme.

Les pièces d'Ibsen sont moins des productions dramatiques que des essais philosophiques touchant les questions vitales de l'humanité. L'action y joue une importance secondaire, les incidents sont forcés, inattendus, brusques; l'intérêt principal réside dans le conflit des idées. L'auteur ne se soucie guère de l'appareil théâtral, il ne prend même pas la peine de dessiner nettement les positions réciproques de ses héros. Le spectateur n'assiste pas aux événements, aux actions des personnages en scène, mais leurs réflexions, leurs pensées, leurs aspirations sont toujours présentes et vivantes. Leurs caractères, leurs passions ne se traduisent pas par des gestes, par des attitudes, par des mouvements, mais se révèlent par une analyse psycho-philosophique.

Le théâtre d'Ibsen est une succession de préceptes où la psychologie de l'individu comme celle de la société fait disparaître le déroulement progressif de l'action. L'auteur analyse minutieusement les mouvements d'âme, les crises de conscience, de passion, de pensée; il étudie les révolutions morales individuelles, l'antagonisme entre l'individu et la société, les mensonges et les préjugés sociaux. Le théâtre d'Ibsen est, avant tout, un théâtre d'idées.

M. Max Nordau, tout en constatant qu'«Ibsen a créé quelques figures d'une vérité et d'une richesse telles qu'on n'en trouve pas chez un second poète depuis Shakespeare,» prétend que le dramaturge norvégien est incapable «d'élaborer une seule idée nette, de comprendre un seul des mots d'ordre qu'il pique çà et là dans ses pièces, de tirer des prémisses les conséquences justes».

Certes, «les sots seuls admirent tout dans un écrivain estimé», mais le savant auteur de la *Psychologie du génie et du talent* force un peu trop sa plume satirique en affirmant qu' «Ibsen ne comprend pas un seul des mots d'ordre qu'il pique çà et là dans ses pièces». On peut considérer certaines de ses pièces comme absolument étrangères à l'art dramatique; dire qu'elles manquent d'idées, c'est ne pas vouloir les comprendre. Il se peut que l'idée de telle ou telle pièce soit un peu embrumée, mais «il faut considérer le théâtre d'Ibsen en bloc. Alors nous avons devant les yeux un imposant monument de la pensée moderne».

Ibsen ne s'impose pas tout de suite. Lorsqu'on voit ou qu'on lit pour la première fois une de ses pièces, l'impression est puissante, mais confuse; elle éveille dans le spectateur ou le lecteur des émotions fortes, mais indécises; ce n'est qu'après une longue analyse qu'on en détermine l'idée. Quelles que puissent être les erreurs qu'on trouve dans son oeuvre, comme dans celles de tant d'autres écrivains, l'impression générale est grande et profonde, l'émotion qui en jaillit n'est pas affective mais cérébrale; une atmosphère fraîche de pensée enveloppe ses personnages; ils forment tout un organisme social, toute une philosophie. Ce n'est pas de la spéculation abstraite, ce n'est pas de la philosophie construite, c'est de la philosophie *vécue*. Les héros d'Ibsen ne jettent pas à profusion «les sophismes comme un ciment dans l'intervalle des vérités, par lesquels on édifie les grands systèmes de philosophie qui ne tiennent que par le mortier de la sophistique»; mais si l'esprit de système leur fait défaut et aussi l'art des ordonnances symétriques, ce ne sont point certes des idées, des pensées qui leur manquent. Et «les systèmes de philosophie sont des pensées vivantes» affirme l'un des plus nobles penseurs modernes.

Nous sommes loin des temps où la philosophie était le domaine d'une poignée de privilégiés. Aujourd'hui nous admettons qu'il n'y a point de castes dans l'intelligence humaine. «Il n'y a point des hommes qui sont le vulgaire, d'autres hommes qui sont les philosophes. Tout homme porte en lui-même le vulgaire et le philosophe.»

La philosophie n'est pas le fruit d'un syllogisme. Il ne faut faire dépendre la philosophie d'aucun système, d'aucune méthode.

«Mon dessein, dit Descartes, n'est pas d'enseigner la méthode que chacun doit suivre pour bien conduire sa raison, mais seulement de faire voir en quelle sorte j'ai tâché de conduire la mienne.»

La philosophie n'existe et ne se développe que dans l'esprit de l'homme. Les idées les plus profondes, les investigations les plus sensées resteraient lettre morte sans la vivification que leur communique l'esprit du penseur. C'est lui seul qui crée la valeur des idées philosophiques. La philosophie n'est que la manifestation de l'esprit indépendant, aspirant à se faire — par la critique générale — une conception personnelle de l'Univers.

Ibsen nous montre, dans son théâtre, quelle est sa contemplation du Monde, comment il envisage les hommes et les choses, quel est l'enseignement qu'il tire de la vie, car c'est la vie seule qui l'intéresse; ce qui le préoccupe, c'est l'éternelle contradiction de la vie, c'est la lutte entre l'idéal et le réel.

«Quel est le péché qui mérite l'indulgence? Quelle est la faute qu'on peut doucement effacer? Jusqu'à quel point la responsabilité, cette charge qui pèse sur la race entière, obère-t-elle le lot d'un de ses rejetons? Quelle déposition, quel témoignage admettre quand tout le monde est au banc des intéressés? Sombre et troublant mystère, qui pourra jamais t'éclaircir! Toutes les âmes devraient trembler et gémir, et il n'en est pas une entre mille qui se doute de la dette accumulée, de l'engagement écrasant né de ce seul petit mot: la Vie.»

II

Le théâtre est un art qui se propose de peindre la vie humaine.

Ibsen ne se borne pas à peindre la vie et les hommes, il est aussi un remueur d'idées.

Dans une lettre qu'il m'a fait l'honneur de m'adresser, il s'exprime ainsi: «Je vous prie de vous rappeler que les Pensées jetées par moi sur le papier ne proviennent ni en forme ni en contenu de moi-même, mais de mes personnages dramatiques qui les prononcent.»

Mais Ibsen a beau dire: «J'ai essayé de dépeindre hommes et femmes; ce sont eux qui parlent et non pas moi», son âme et sa pensée sont toujours présentes dans son théâtre. Aucun auteur ne peut faire disparaître sa personnalité de son oeuvre.

«Je ne connais pas d'écrivain moderne qui ait pu ou su «se cacher» dans son oeuvre; Flaubert qui poussait presque jusqu'à la manie le souci de réserver sa personnalité, y est tout entier.... Dans les oeuvres, en apparence impersonnelles, on peut découvrir les raisons intimes des préférences de l'auteur, les motifs pour lesquels entre les mots du discours, il choisit ceux-ci plutôt que ceux-là.»

Certes, Ibsen est avant tout artiste, poète, mais «le poète est un monde enfermé dans un homme.» Le monde dont le poète nous présente les types, se condense en se réfléchissant dans sa pensée; il emprunte la marque particulière de son *moi* et sa physionomie en devient plus saillante. L'artiste, pur artiste, le poète, exclusivement poète, ne se rendant aucun compte de lui-même à lui-même, incapable d'analyser le monde qu'il peint, ses pensées, ses idées, est un être chimérique.... Il y a longtemps qu'on ne croit plus à ce La Fontaine dont on disait autrefois qu'il produisait des fables comme les pommiers produisent des pommes, c'est-à-dire sans effort et par le seul penchant de la nature. *Le Lac* immortel de Lamartine n'est point sorti du cerveau du poète comme Vénus de l'écume des mers.

L'inspiration ne dispense pas les poètes les plus naïfs d'un travail de la pensée. Platon qui dit: «Quand le poète est assis sur le trépied de la muse, il n'est plus maître de lui-même», Platon ajoute: «Lorsque le poète chante, les grâces et les Muses lui révèlent souvent la Vérité.» Grâces ou Muses, conscience intérieure ou analyse de l'esprit, le fait est que l'artiste, le poète sait et comprend ce qu'il fait; «la vérité se révèle à lui».

Le poète qui chante la grandeur de l'Univers possède sa manière de le comprendre; l'homme qui dépeint les crises de la conscience humaine, en possède certainement une; celui qui nous présente le caractère de deux individus peut ne pas nous dire où vont ses sympathies; il lui est impossible de ne pas le faire voir.

Ibsen a beau dire: «Ai-je réussi à faire une bonne pièce et des personnages vivants? Voilà la grande question», son âme et sa pensée, je le répète, sont présentes dans son oeuvre, et son esprit aussi.

Ibsen ne fait que philosopher. Il serait peut-être embarrassé de dire si la philosophie a pour objet la découverte de l'existence absolue, d'où les sciences doivent être déduites à leur tour; ou si son objet est la systématisation et la coordination des sciences. Il n'est pas philosophe de profession; son génie n'a pas de système. «Le génie, au sens le plus étendu du mot, c'est la fécondité de l'esprit, c'est la puissance d'organiser des idées, des images ou des signes, *spontanément*, sans employer les procédés lents de la pensée réfléchie, les démarches successives du raisonnement discursif.» Mais une philosophie ne se compose pas simplement de faits, d'images, d'idées et d'observations, il faut à ces faits, à ces idées, une liaison, il faut que l'esprit en saisisse les connexions et les rapports, d'où se déduit la vérité philosophique, l'unité scientifique. C'est précisément cette liaison que je m'impose de déterminer dans le théâtre d'Ibsen.

Comme l'a si bien dit M. Emile Boutroux, à propos de mon ouvrage *La Philosophie de Tolstoï*, je «cherche moins les doctrines méthodiquement déduites par les philosophes de profession que les pensées nées en quelque sorte spontanément dans les âmes d'élite au contact de la vie et des réalités; je vise moins à expliquer le détail des doctrines qu'à en découvrir l'unité et à en marquer l'esprit».

Le but de cet ouvrage est d'établir une harmonie dans les idées que le poète norvégien émet dans ses drames, de les développer, de leur donner une forme synthétique. Ai-je réussi? Feci quod potui. «La conscience de l'écrivain doit être tranquille dès qu'il a présenté comme certain ce qui est certain, comme probable ce qui est probable, comme possible ce qui est possible.»

Avant de passer aux héros d'Ibsen, jetons un regard sur sa propre vie: l'homme nous fera mieux comprendre le penseur.

LA VIE D'HENRIK IBSEN

La philosophie n'est pas une science comme une autre; il y reste toujours un élément personnel qu'on ne saurait négliger. Toute philosophie porte le nom d'un homme.
CHALLEMEL-LACOUR
Philosophie individualiste, p. ii.

CHAPITRE PREMIER

I

Henrik Ibsen naquit, le 20 mars 1828 à Skien, province de Télemarken où son bisaïeul, d'origine danoise, était venu s'établir en 1726.

Patrie de Lammers, célèbre orateur protestant dont les prédications enflammées créèrent un grand mouvement religieux en Norvège, Skien est considéré comme le foyer du piétisme luthérien.

Le père du dramaturge, commerçant aisé, avait un caractère expansif; sa mère était austère, d'humeur silencieuse, taciturne. La famille jouissait d'une considération particulière dans cette petite ville de province. «Notre maison, écrit Ibsen, était située près de l'église, remarquable par sa haute tour, à droite se trouvait une potence; à gauche, l'hôtel de ville, la prison avec un asile d'aliénés et deux écoles. Partout des maisons, aucune verdure, aucun horizon libre. Mais dans l'air, un bruit sourd et formidable mugissait sans cesse; il ressemblait tantôt à des gémissements, tantôt à de lugubres lamentations: c'était le murmure des cascades et le chant plaintif des scieries qui se trouvaient en dehors de la ville. Quand plus tard je lisais des histoires sur la guillotine, je pensais toujours à ces scieries.

«L'église était le plus joli bâtiment de la ville. Ce qui préoccupait surtout mon imagination, c'était la lucarne, au bas du clocher; elle avait pour moi un sens mystérieux; la première impression consciente qu'elle produisit sur moi ne s'efface pas de ma mémoire.

Je me rappelle, un jour, ma bonne me conduisit à l'église et me tenant entre ses mains me mit dans la lucarne. Ce fut pour moi un éblouissement étrange.... J'ai vu les passants, j'ai vu notre maison et les stores de nos fenêtres; j'ai aperçu aussi manière.... Tout à coup un tumulte ... on me fait des signes de là-bas.... Lorsque je suis descendu, j'ai appris que ma mère m'apercevant dans la lucarne se mit à crier et tomba sans connaissance. Dès qu'elle me revit, elle commença à pleurer, à m'embrasser. Quand plus tard, dans ma jeunesse, je traversais la place, je levais toujours mon regard vers cette lucarne et il me semblait qu'un lien mystérieux existait entre elle et moi.»

En 1836, — le jeune Henrik avait huit ans — ses parents furent ruinés par une catastrophe commerciale. Cette ruine changea complètement la situation de la famille Ibsen; elle quitta Skien, une misérable habitation succéda à la riche demeure. La transformation produisit une impression profonde sur le futur dramaturge; il s'enfonçait en lui-même, évitait la société, recherchait la solitude. Tandis que ses frères cadets jouaient dans la cour, Ibsen, lui, s'enfermait dans un petit cabinet noir près de la cuisine et y passait seul des heures et des jours. «Il nous paraissait peu aimable, écrit la soeur d'Ibsen, et nous faisions tout notre possible pour l'empêcher de s'isoler de nous. Nous aurions désiré qu'il jouât avec nous. Nous frappions à la porte de son cabinet noir; lorsque nos gamineries lui faisaient perdre patience, Henrik ouvrait subitement sa porte et se mettait à nous poursuivre, mais pas bien fort, car il était de constitution faible. Et immédiatement après, il s'enfermait de nouveau dans sa solitude.»

Isolé, il lisait beaucoup de vieux livres de marine, que possédait son père, il aimait aussi à faire des tours de passe-passe, à peindre ou à découper avec du papier des figures, des groupes, etc.

En 1842, la famille d'Ibsen revint à Skien et l'auteur des *Revenants* entra dans une école dirigée par des théologiens. Il se passionnait surtout beaucoup pour l'histoire et la théologie. Il se séparait rarement de la Bible. «Un jour, raconte un de ses anciens camarades, Ibsen ayant à préparer un devoir; y rendit compte d'un songe qu'il avait fait: «J'étais avec des amis; nous venions de traverser des montagnes et très fatigués nous nous étions couchés, comme jadis Jacob, sur des pierres. Mes compagnons s'endormirent, moi je ne pouvais fermer l'oeil. Mais la fatigue prenant enfin le dessus, je me suis endormi et j'ai fait un rêve; un ange me disait:

—Lève-toi et suis-moi!

—Où veux-tu me conduire à travers ces ténèbres? lui dis-je.

—Marchons, répondit-il, je dois te montrer le spectacle de la vie humaine, telle qu'elle est, dans toute sa réalité.

Plein d'épouvanté, je le suivis, et il me conduisit longtemps par des marches gigantesques.... Tout à coup j'ai vu une grande ville morte pleine de traces de ruine et de pourriture, c'était tout un monde de cadavres, les restes de la grandeur fanée, de la puissance flétrie.... Et une lumière pâle, comme celle des églises, éclairait cette ville morte.... Et mon âme se remplit de terreur.... Et l'ange me dit tout bas: Ici, vois-tu, tout est vanité!

Et j'ai entendu un bruit—bruit d'un orage,—puis des soupirs, des milliers de voix humaines, puis un rugissement de tempête, rugissement formidable, et les morts et les cadavres s'agitèrent, et leurs bras se tendirent vers moi.... Et je me suis réveillé tout couvert de sueur.»

Orphelin à seize ans, Henrik Ibsen fut obligé pour gagner sa vie de quitter l'école et d'accepter une place d'élève-commis dans une pharmacie à Grimstad, petite ville de 800 habitants, sur les bords du Skager-Rack qui fait communiquer la mer du Nord avec le Cattégat.

Tout en préparant des pilules et des sirops, il s'abandonnait à la versification.

Le frémissement électrique qui parcourait alors l'Europe entière et la remuait jusque dans ses fondements, ébranla aussi la Scandinavie. Jusqu'à cette époque la Norvège se trouvait sous l'influence du Danemark, mais dès 1847 le mouvement nationaliste y devint grand; on commença à purifier le dialecte norvégien, qui fut adopté par les écrivains, on ne donna dans les théâtres que des pièces nationales et ce mouvement eut sa répercussion jusqu'à la pharmacie de Grimstad, où le jeune poète discutait si la Révolution Française deviendrait la Révolution Universelle.

Lorsque, en 1848, la nation hongroise, sortant de la torpeur dans laquelle l'Autriche l'avait plongée, entama l'oeuvre de la renaissance, lorsque après trois siècles de luttes contre les usurpations inhumaines, luttes douloureuses et sanglantes, la Hongrie se révolta; lorsque le poète de son indépendance, Petoefi, s'écria: Debout, peuple hongrois! une voix isolée et faible mais enflammée lui répondit des bords du Skager-Rack, celle d'Ibsen, qui, dans un long poème, surexcita les hongrois à l'action, à la lutte pour la Liberté.

II

La boutique de Grimstad devient trop étroite pour le créateur de *Brand*, il ne veut, pas rester pharmacien, son âme aspire vers d'autres rives....

En 1850, il entre à l'Université de Christiania. En compagnie de Bjornstjerne-Bjornson, Jonas Lie, Vinje,—tous devenus plus tard célèbres—il suivit, pendant cinq mois le cours de Helmberg. Dans sa poésie *le vieux Helmberg* Bjornstjerne-Bjornson parle aussi de son camarade d'école: «Pâle, sec et excité, Ibsen est assis cachant sa figure dans sa longue barbe noire.»

Les études n'allaient pas trop bien. (Ce n'est que plus tard qu'Ibsen reçut, *honoris causa*, le titre de docteur en philosophie, dont l'auteur de l'*Ennemi du peuple* est très fier). L'étude ne suffit pas pour développer les germes du talent original, c'est la vie entière qu'il faut, une vie de combats, de souffrances et d'épreuves.

Ibsen lisait Shakespeare, Schiller, Goethe, mais le livre qui eut à cette époque une grande influence sur lui fut *Catilina* de Salluste. La figure de Catilina se grava dans son esprit, éveilla en lui une profonde sympathie pour les révoltés. Il fit une pièce portant ce nom et le 26 septembre 1850 il la vit représentée sur la scène. La critique fut sévère. Et pourtant un éloge bien pesé et sincère est souvent plus utile à une nature délicate que la plus juste des critiques.

En 1851 Ibsen, Bjornstjerne-Bjornson et Vinje entreprirent, avec un programme très libéral, la publication d'une revue hebdomadaire: *Andrimmer* qui disparut au bout de neuf mois. C'est dans cette revue que furent publiées les premières poésies d'Henrik Ibsen, une épopée: *Helge Hundingsbane* et une pièce satirique *Norma*.

«Je me rappelle si nettement, comme si cela venait de s'accomplir,
Le soir où je vis dans la feuille mes premiers vers imprimés,
Assis dans ma tannière, lançant des spirales de fumée,
Je rêvais, je songeais, joyeux dans mon bonheur».

La même année le jeune dramaturge fut nommé régisseur général du théâtre de Bergen qui venait d'être fondé par Ole Bull, célèbre violoniste norvégien. Il occupa cette place jusqu'en 1857 et devint alors directeur du théâtre de Christiania qui fit faillite en 1862. C'est Bjornson qui le remplaça à Bergen.

Egalement en 1857, Ibsen épousa Susanne Daae Thoresen, fille du pasteur de Bergen et de madame Magdalena Thoresen, femme de lettres, d'origine danoise, dont les ouvrages sont très connus en Scandinavie, notamment *Studenten* (Etudiants) et un grand drame *Kristtoffer Valkendorff*.

Ce fut un mariage d'inclination. L'auteur de la *Comédie de l'Amour* aima comme on aime quand on n'aime qu'une seule fois, et d'un sentiment dont n'est capable qu'une grande âme.

Madame Henrik Ibsen est une femme supérieure. Elle prend à l'oeuvre de son mari un très grand intérêt et elle y est pour beaucoup. C'est elle qui inspire la création de ces femmes fortes et indépendantes qui peuplent les pièces d'Ibsen. Elle est la première personne à laquelle son mari communique ses pensées et lit ses drames. Elle aime à les discuter. Le grand dramaturge a compris combien il gagne à laisser la parole libre à sa compagne et il lui en sait gré. Dans son volume de poésies, *Digte*, on trouve des vers que ses intimes savent être dédiés à sa femme: «Elle est la vestale qui entretient dans mon âme le feu sacré jamais éteint. Et c'est parce qu'elle ne veut point être remerciée que je lui dédie ces vers, et je lui dis: Merci.»

On éprouve un grand plaisir à entendre madame Ibsen parler de l'oeuvre de son mari. Avec sa forte intelligence, sa compréhension parfaite, sa sympathie fervente et enthousiaste, elle en est le juge et le commentateur le plus clairvoyant.

Elle n'est pas jolie, mais ses grands yeux noirs rayonnent de bonté et sa voix de contralto est douce et caressante. On raconte qu'Henrik Ibsen dit jadis de sa fiancée: «Elle n'est pas jolie, mais intelligente et gaie.»

Madame Ibsen était dans sa jeunesse une très intrépide touriste. Elle est d'une modestie fière et indépendante. Elle se soustrait avec beaucoup de discrétion aux triomphes de son mari et le laisse seul cueillir ses lauriers.

Leur unique fils, M. Sigurd Ibsen, a passé la plus grande partie de sa vie à l'étranger auprès de ses parents. Il y a à peine trois ans il a été question de créer pour lui à l'Université de Christiania une chaire de sociologie, mais le conseil de l'Université déclina ce projet ce qui causa au vieux poète beaucoup de chagrin. M. Sigurd Ibsen a épousé la fille aînée de Bjornson. Cette union de leurs enfants a rapproché un peu, après une longue séparation, les deux grands écrivains norvégiens. Mais la forte amitié qui les liait, il y a vingt-cinq ans, est brisée; il n'y a plus un seul point important sur lequel ils sentent et pensent de même. Leurs idées sont complètement opposées non seulement sur la politique mais aussi sur certaines questions scientifiques.

Comme madame Tolstoï, c'est madame Ibsen qui s'occupe du côté matériel des oeuvres de son mari. «Les philosophes font souvent abstraction, non pas seulement d'intérêts immédiats, mais de tout intérêt réel; au lieu que les femmes, toujours placées au point de vue pratique, deviennent très rarement des rêveurs spéculatifs et n'oublient guère qu'il s'agit d'êtres réels, de leur bonheur ou de leurs souffrances.»

III

Christiania, à l'époque où Ibsen prit la direction du théâtre, était une petite ville avec toutes ses mesquineries.

«Christiania, le plus assommant et mesquin de tout ce qui est assommant et mesquin; Christiania, la cité sans style, un trou de petite ville sans l'intimité d'une petite ville, une capitale sans la vie d'une grande ville. Partout, un prosaïsme sans espérance: rien que la banalité la plus usée et la plus pénible.»

Le conflit entre les partis et les classes différentes de la société y est encore aujourd'hui très aigu.

Nous sommes dans un pays où chacun a son titre, où l'on ne s'adresse à personne sans lui dire «Monsieur le professeur», «Monsieur le docteur», «Monsieur le négociant».

En aucun lieu du monde on n'est enveloppé autant qu'ici de la froide austérité luthérienne. «Il y a en Norvège, dit Bjornson, plus de Thorbjoern que de Arne.»

Les allures libres d'Ibsen, son caractère toujours en révolte lui valurent beaucoup d'ennemis. Sa pièce *la Comédie de l'Amour* qui fut représentée en 1863 fit un tapage considérable. N'étant pourtant qu'un reflet exact des hypocrisies et des mensonges conventionnels de la société, elle fut trouvée révoltante.

«Les médiocres natures éprouvent toujours un sentiment de défiance et d'effroi à côté des natures puissantes et originales, qu'elles sentent bien devoir un jour leur échapper.»

Quand, suivant l'exemple de Bjornson et de Jonas Lie, Ibsen, dont la situation matérielle était toujours précaire, demanda à la Chambre norvégienne, le *Storthing*, le Subside, le *Digter gage*, que celle-ci alloue aux écrivains de promesse, l'un des membres de la commission du *Digter gage*, professeur à l'Université de Christiana, répondit que «ce n'était pas le subside que méritait l'auteur de la *Comédie de l'Amour*, mais une bastonnade.»

Ce n'est que l'année suivante, avant de s'exiler, qu'Ibsen obtint de la Diète norvégienne le *Digter gage*.

En 1864, lorsque éclata la guerre entre le Danemark et la Prusse, Ibsen adressa un appel chaleureux à ses compatriotes, leur demandant d'aller au secours d'un peuple-frère, mais la Suède et la Norvège refusèrent de venir en aide au plus faible, elles le laissèrent démembrer par le plus fort.

Ce refus révolta le coeur généreux du poète, il quitta son pays natal, il alla à Rome demander au soleil d'Italie un peu de répit pour son âme rebelle....

CHAPITRE II

I

C'est au mois de juin 1864 qu'Henrik Ibsen arriva à Rome. Madame Ibsen et son fils l'y rejoignirent l'année suivante. La ville éternelle eut sur l'exilé norvégien une grande influence. «Rome charme par l'intérêt qu'elle inspire, en excitant à penser. On jouit à Rome d'une existence à la fois solitaire et animée qui développe en nous tout ce que le ciel y a mis.»

Les gigantesques débris d'un monde brisé nous font comprendre la vanité de l'homme et la grandeur de la pensée; on se sent en communication avec l'infini, avec l'humanité entière. Le poète révolté du nord visita la vieille république de Florence, ce véritable berceau et foyer de la Renaissance, pays d'illustres exilés, spoliés, décapités, de Michel-Ange, de Machiavel, de Léonard de Vinci, de Dante, ce poète souverain, ce roi des chants sublimes, qui, comme un aigle plane sur la tête des autres poètes.

Ibsen vit Arezzo, la patrie de Pétrarque; il admira la belle cathédrale de Milan, cette montagne de marbre blanc, sculptée, ciselée, découpée à jour, d'un symbolisme divin! Il vit Venise, la ville du silence, et la morne Pise, frappée de la terrible malédiction de Dante:

Ahi Pisa, vituperio delle genti.

Le lac de Lugano, ce golfe resserré entre deux monts rappelait au poète Scandinave un de ces fjords allongés dont sont déchiquetées les côtes de son pays natal. A Gênes, il aimait marcher par la route fleurie de la *Corniche*, qui, pleine d'orangers en fleurs, de cédrats, de palmiers, suit le contour de la rive; au-dessous de soi, à des milliers de pieds, on voit la mer, la mer immense, qui semble une surface bleue immobile, mais qu'on sent animée et vers laquelle se porte incessamment le regard comme vers tout ce qui décèle la vie, la vie que l'homme aspire, la vie éternelle!

C'est là qu'Ibsen comprit que, «le monde est, d'un bout à l'autre, une vision extraordinaire, et qu'il faut être aveugle pour n'en être pas ébloui.» Mais c'est surtout dans la grandeur triste de Rome qu'il se retrouvait lui-même. Rome établit un accord harmonieux entre la majesté des ruines du passé et celle de l'avenir de l'âme humaine. Et, dans le silence pur de la lumière d'Italie, Ibsen écrivit *Brand*, en 1866, après plusieurs drames romantiques, alors que les révoltes grondaient dans son coeur; puis, en 1867, *Peer Gynt*, qui aspire déjà vers des temps plus doux.

Henrik Ibsen resta en Italie jusqu'en 1868; il en emporta avec lui, pour toujours, l'amour de la nature et des arts.

De l'Italie, il alla à Munich, à Dresde, à Berlin.

II

Rien de plus intéressant que le mouvement intellectuel de ces années, en Europe. Des hommes supérieurs parlent, écrivent et donnent aux esprits une impulsion merveilleuse; le champ des idées est profondément remué; de grandes doctrines se formulent, de graves polémiques se soulèvent et rarement on vit une époque où le mouvement fût plus ardent, plus agité, plus rempli de promesses et d'espérances.

Les pensées d'Ibsen s'élargirent de plus en plus et son esprit s'ouvrit à la contemplation de l'Univers. L'exil est une bonne école pour les âmes fortes et conscientes, il leur enseigne la valeur morale du précepte de Socrate: «Connais-toi toi-même»; il leur apprend aussi à comprendre les autres.

Partout Ibsen demeurait un observateur fidèle de la vie et des moeurs, et partout il vivait solitaire, isolé au milieu de ce monde souvent trop sociable. Son âme sensitive de poète lui disait que la poésie du silence est plus morale que levain bruit.

Et son oeuvre augmente toujours.... En 1869, il écrit l'*Union des jeunes*. La même année Charles XV le nomme délégué à l'inauguration du canal de Suez.

Après les fêtes de Port-Saïd, il fit un voyage de six semaines sur le Nil et retourna à l'étranger, à Munich. Car la Norvège lui resta froide. «La masse, la foule, la médiocrité, ne comprend pas les isolés, les élus.»

Et pourtant l'influence d'Ibsen grandit déjà. Certains hommes ignorés de la foule exercent en réalité dans la vie une plus grande influence que ceux dont la popularité est la plus bruyante. Mais la vaine attente de l'approbation de ses compatriotes aigrit son âme; dans sa fière misère il reconnaissait vivement l'injustice commise envers lui par les norvégiens. «Rien n'est plus amer que d'être incompris!» dit Jean-Gabriel Borckman, l'un des personnages de sa pièce du même nom.

Le poète cependant ne laisse pas libre cours à sa plainte. Les succès faciles des médiocres le font sourire. Lent, mais tenace, il écrit livre sur livre. Les hommes vraiment progressifs s'avancent sans fracas, mais avec de la suite et de la continuité. A celle marque se reconnaît le génie qui, lorsqu'il le veut, plie à son obéissance les obstacles mêmes qui semblent devoir l'entraver. «La vocation, dit Brand, est un torrent qu'on ne peut refouler, ni barrer, ni contredire. Il s'ouvrira toujours un passage vers l'Océan.»

Les foudres du clergé et de la cour n'empêchaient guère Descartes de chercher sa *Méthode*. La petite Hollande était fière de lui offrir l'hospitalité.

Les esprits supérieurs suivent les traces glorieuses de leurs devanciers, ils savent que les maîtres les plus illustres de la Pensée ont souvent connu et la tristesse de l'exil et la raillerie des méchants et même les horreurs de la faim.... Leur âme s'imprègne d'une tristesse amère, mais elle demeure douce et grande, toujours et quand même. La souffrance vivante vaut mieux que le repos sans vie. Un sourire d'incrédulité dédaigneuse est leur seule réponse à toutes les petitesses, à toutes les flatteries.

«L'homme de génie ose seul contempler sans pâlir le visage étrange des siècles, défier le temps, raidir contre le flot intarissable de l'oubli une poitrine libre, et attester devant le jugement des ténèbres, debout sur d'innombrables cercueils, la noblesse réelle de l'humanité.»

Le génie ne tâtonne pas, mais embrassant tout d'un coup d'oeil, il va droit au but, qu'il poursuit avec fermeté, et se rit des sarcasmes de la foule qui ne comprend rien à ses oeuvres.

Ibsen erra d'une ville à l'autre, toujours plein d'amertume contre ses compatriotes et plein de tendresse pour son pays. Jamais on ne sent mieux combien une chose nous est chère que lorsqu'on se trouve loin d'elle. On songe plus au sol natal quand on ne voit pas son vague horizon; on songe à ses blés mouvants, à ses vertes prairies ou à ses montagnes neigeuses, et plus encore à ses tristesses et à ses douleurs, car on participe mieux à ses souffrances qu'à ses joies; on a toujours les mêmes regrets et pas toujours les mêmes espérances.

Pour bien comprendre et pour bien aimer son pays, il faut souvent en franchir la frontière. Enivré de tristesse et tourmenté de doute, on passe, morne et silencieux. On cherche l'oubli sous le ruissellement intense du soleil étranger; souvent, assoiffé de tendresse, de justice, d'idéal, on oublie la haine et, dans le frisson d'un soir de printemps ou dans les rayons pâles de l'aurore, on rêve aux cieux lointains.

Pendant son exil volontaire de vingt-cinq ans, Ibsen ne cessa de demeurer un spectateur attentif de la vie norvégienne. Sa langue resta très pure; on peut en dire ce que Georges Brandès dit de celle de son compatriote Jacobsen: nul avant lui, n'a su peindre ainsi avec des mots. «Négliger le style, ce n'est pas aimer assez les idées qu'on veut faire adopter aux autres», et c'est là le plus grand désir d'Ibsen. Même dans ses poésies, qui sont très admirées en Scandinavie, une pensée profonde est mêlée à un lyrisme sensitif. Loin de la foule, loin des masses, il cultive sa pensée, il cisèle son style. S'il veut faire adopter ses idées aux autres, il garde religieusement son *moi*. «Il est une chose qu'on ne peut sacrifier: c'est son *moi*, son être intérieur.» La popularité, il la dédaigne. La popularité! que de gens s'imaginent qu'elle est le couronnement de la gloire! Ils oublient que la foule ne suit et n'acclame que ceux qui caressent ses passions, ses colères, ses erreurs! Les hommes forts ne cherchent ni popularité ni gloire, ils ne cherchent à rivaliser ni avec les uns ni avec les autres. Ils se créent à eux-mêmes un vaste domaine où ils se trouvent à la fois le premier venu et le roi. Ils découvrent et révèlent tout un monde de beautés inconnues et variées à l'infini dans la pensée, dans le sentiment, dans l'image, dans le contraste des ombres et de la lumière.

«Le bruit de la foule m'épouvante, dit Ibsen, je veux préserver mes vêtements de la boue des rues; c'est en habits de fête que je veux attendre l'aurore de l'avenir.»

Et cette aurore est déjà arrivée, car «tout cède à la continuité d'un sentiment énergique. Chaque rêve finit par trouver sa forme; il y a des ondes pour toutes les soifs, de l'amour pour tous les coeurs.» Le souffle généreux de l'humanité pensante finit toujours par dissiper les noirs nuages; les esprits libres finissent toujours par reconnaître leur erreur.

«L'homme, dit Pascal, n'est qu'un roseau, le plus faible de la nature, mais c'est un roseau pensant.» Le solitaire de Port-Royal aurait pu ajouter *et rayonnant*, car un homme qui pense a ceci de singulier qu'il *rayonne*. Son éclatant relief le fait sortir de l'ombre et le fait distinguer non seulement de la foule, mais des autres princes de la pensée dont les noms deviennent des symboles.

CHAPITRE III

I

En 1891, Ibsen retourna en Norvège et son retour fut pour lui un triomphe. Il fut heureux de revoir le paysage baigné de cette incomparable lumière du Nord, tout à la fois si virginale et si ardente, et les chaînes de collines intérieures, à peine élevées de quelques centaines de mètres, et cependant couronnées par la neige, comme si elles atteignaient l'altitude des sommets de la Suisse; il fut heureux de revoir le magnifique panorama sur le fjord de Christiania, parsemé d'îles boisées, égayé par le mouvement continuel de vaisseaux qui vont se perdre au loin, derrière de grandes montagnes toutes bleues.

Le voilà revenu de l'exil, le vieux poète! Il touche du pied le sol sacré du pays aimé; et l'espérance emplit son âme. Moment délicieux!

S'il est des jours amers, il en est de si doux!

Tous les soucis, tous les chagrins, dont s'enfle si souvent notre coeur, tout s'oublie; on sourit à tous ... et l'on reste *soi-même*.

«Place au soleil, place partout à qui veut être vraiment soi-même!»

Au mois de mars 1898, la Scandinavie entière fêta la soixante-dixième année d'Henrik Ibsen. Le monde officiel, les penseurs, les hommes de lettres, la foule, tous s'entendirent dans le même sentiment ému. Et le héros de la fête, —connaissant les doux plaisirs de la Pensée, «qui, loin de se borner au moment, promettent des jouissances continuelles,» demeurait silencieux parmi ces acclamations d'enthousiasme. Les blessures de jadis lui étaient trop chères pour qu'il les oubliât; il y a des blessures qui compensent toutes les amertumes.

Grand-croix de Saint-Olaf, il songea au cabinet noir de son enfance, à l'église de sa petite ville natale, aux dures époques de la vie où ses pièces évoquèrent des colères et des indignations; et les hommages presque religieux d'aujourd'hui de ses concitoyens amenèrent sur sa bouche un sourire amer. «Je n'ai point d'illusion sur les hommes, pensait-il, et, pour ne les point haïr, je les méprise.»

Les hommes qui ont abrité leur liberté dans le monde intérieur, doivent aussi vivre dans le monde extérieur, se montrer, se laisser voir; la naissance, la résidence, l'éducation, la patrie, le hasard, l'indiscrétion du prochain, les rattachent par mille liens aux autres hommes; on suppose chez eux une foule d'opinions, tout simplement parce qu'elles sont les opinions régnantes; toute mine qui n'est pas une négation passe pour un assentiment; tout geste qui ne détruit pas est interprété comme une approbation. Ils savent, ces solitaires, ces affranchis de l'esprit, que toujours sur quelque point ils paraissent autre chose que ce qu'ils sont; tandis qu'ils ne veulent rien autre chose que vérité et franchise, ils sont environnés d'un réseau de malentendus, et, leur intense désir de sincérité ne peut empêcher que sur toute leur activité il ne se pose comme un brouillard d'opinions fausses, de compromis, de demi-concessions, de silences complaisants, d'interprétations erronées. Et un nuage de mélancolie s'amasse sur leur front, car cette nécessité de «paraître», de telles natures la haïssent plus que la mort.

II

Ibsen s'est établi à Christiania où il vit toujours taciturne, isolé. Il regarde, il observe, et comme Michel-Ange qu'il aime tant, il «apprend» toujours. Le vrai sage, le sage du Stoïcisme n'a ni amis, ni famille, ni patrie; il se met sans trop de peine en dehors de l'humanité. C'est une sorte de cruauté héroïque envers soi-même et envers les autres. Certes, «on peut être indépendant sans devenir sauvage, et l'on peut diminuer le nombre de ses liens pour rendre d'autant plus solides et plus étroits ceux qu'on choisit et qu'on garde». La solitude est une force dont il ne faut pas abuser. L'auteur de *Peer Gynt* est taciturne, mais il n'est point sauvage. Il demeure toujours isolé de la foule, mais pas de sa famille. Père et époux, il prouve que l'unité sociale n'est pas l'Individu, mais la Famille.

Le penseur norvégien vit très modestement; il aime beaucoup la peinture; sa salle à manger et son salon sont ornés de plusieurs toiles de grande valeur artistique. Il lit fort peu, il n'y a point de livres dans son cabinet de travail.

Lorsqu'on le voit une fois, à Karl-Johansgade ou se rendant au Grand-Hôtel lire les journaux,—on ne l'oublie plus. D'une taille petite, trapu, avec un beau visage encadré par d'épais cheveux blancs, des favoris et un collier de barbe, il a le menton et les lèvres rasés. Ses yeux ronds, cachés derrière d'épaisses bésicles, s'enfoncent dans ses sourcils énormes. L'ensemble est expressif, puissant et fin; on y voit se réfléter les deux idées-forces de sa vie et de son oeuvre: la *Volonté* et le *Moi intérieur* enveloppés d'un calme doux et serein. Et l'on comprend les paroles que le poète a mises dans la bouche de Maximos: «Victoire et lumière sur celui qui veut!» et l'on comprend comment ce coeur pur, brûlant d'amour pour le genre humain, pour la liberté et la justice, a pu créer la figure terrible et sublime de Brand dont la devise est: Tout ou rien! «Quand tu donnerais tout, dit-il, à la réserve de ta vie, sache que tu n'aurais rien donné.»

Ses oeuvres attaquent et ruinent les lois morales et l'ordre social. Elles sont l'objet des critiques les plus vives et les plus passionnées, et Ibsen continue sa vie tranquille, dans sa retraite familiale; il ferme les yeux et les oreilles aux spectacles et aux bruits du monde extérieur.

Telle est l'éternelle loi des contrastes.

Horace, qui chantait le vin, ne buvait que de l'eau. Épicure, qui professait le culte des plaisirs, vivait en ascète.

CHAPITRE IV

IBSEN, HOMME ET PENSEUR

Comme homme, Ibsen est bien le fils de la Norvège. Le peuple norvégien, très peu expansif, offre moins de prise à l'observation qu'un autre. On lui donne des défauts et des qualités qu'il n'a pas; souvent ceux qu'on lui attribue sont l'exact contraire de ceux qu'il a réellement. La Norvège est le pays des contrastes. Son caractère unique, spécial, est de grouper à quelques toises de distance, les phénomènes les moins habitués à se trouver ensemble. On y voit le sapin des cimes se marier au noyer ami des plaines, les blocs du glacier et le gazon de la prairie échanger, à quelques pas du fjord, un baiser fraternel.

La lutte constante avec la nature a amené le norvégien à s'identifier avec elle, à se plier à ses exigences. La pauvreté du sol lui a imposé le goût des réalités, et la majesté des rochers, la fraîcheur frémissante du fjord, le soleil de minuit à demi voilé par de légers flocons errants dans le ciel, lui ont appris la douceur du rêve....

Le paysan enseigne à ses enfants à se rendre utiles de très bonne heure. L'exemple des parents et les dures nécessités de l'existence rurale les rendent appliqués et graves; les enfants sont sérieux. Les hommes paraissent lourds, mais c'est une lourdeur apparente qui vient plutôt de la réflexion. Aucun aubergiste ne se présente, en Norvège, souriant au voyageur. Le Norvégien est poli, sans servilité; dans toutes les circonstances de la vie, il sait garder sa dignité. Si l'horizon physique lui est éternellement fermé, si les blocs de granit, qui de toutes parts enserrent le regard des Norvégiens, pèsent sur leur vie, leur horizon intellectuel est large et leur âme morale est rarement prisonnière, — je parle de ceux qui se sont débarrassés des hypocrisies conventionnelles de la société: Brand, Rosmer, Dr Stockmann, Nora, Hélène Alving, Held Wengel et beaucoup d'autres.

Mais les meilleurs d'entre eux gardent encore des superstitions extérieures. Ils croient sincèrement que si l'on peut apercevoir neuf étoiles, neuf jours de suite, on est sûr de voir exaucé le voeu qu'on a formé en les comptant.

Les Norvégiens sont très confiants entre eux et vis-à-vis de l'étranger, mais c'est une confiance digne; le Norvégien n'ouvre jamais entièrement son âme. C'est par là qu'on peut expliquer le théâtre à demi voilé d'Ibsen.

Mais avant d'être norvégien, Ibsen reste *lui-même*. Les grands hommes ont toujours été *quelqu'un* dans toute la force du terme; ils sont *eux-mêmes* et plus vivants que personne; ils tirent plus des profondeurs de leur âme que de tout ce qui les entoure; ils savent non pas se subordonner aux choses extérieures, mais les subjuguer par leur pensée, par leur volonté; ils dominent leur temps, ils s'imposent à la postérité, par la réalité énergique, par la puissance et la souveraineté de leur être individuel; d'autant plus utiles à connaître que leur exemple nous apprend à devenir virils, à penser, à agir, à nous affranchir de cette imitation servile de tous par chacun, qui est le beau idéal des êtres les plus vulgaires.

Comme poète et penseur, Henrik Ibsen n'appartient «à aucune nation, à aucune institution, à aucun parti». Son théâtre ne vise pas uniquement les moeurs de son pays, il vise toujours plus haut; ce n'est pas l'âme norvégienne, c'est l'âme humaine qu'il dissèque.

Il y a des hommes qui n'appartiennent pas seulement à la contrée dans laquelle ils sont nés, à la nation dont ils font partie, mais au trésor commun de l'humanité. Ces esprits d'élite ne sont pas seulement la gloire de la France, de la Russie, de l'Allemagne ou de la Norvège, mais du genre humain tout entier. Certes, ils apportent le cachet de leur patrie, chacun représente avec ampleur ce qu'a de caractéristique sa nationalité, souvent même ils deviennent comme un trait d'union entre leurs concitoyens et le reste du monde, ils servent de lien entre le peuple au milieu duquel ils sont nés et tout ce qu'il y a d'esprits cultivés dans l'univers, mais ils portent, ayant tout, en eux, le germe du *Grand Tout* de la Terre qu'on nomme Humanité. Elargissant le domaine du Beau et du Bien, reculant les limites de la Science et de l'Art, ouvrant à la méditation de nouveaux problèmes et à l'admiration des horizons nouveaux, ces esprits créateurs, qui font l'histoire universelle, prouvent que la Pensée humaine n'a point de frontières, qu'elle est infinie....

Nous allons maintenant déterminer la philosophie du théâtre d'Henrik Ibsen que nous diviserons en deux parties: partie négative: *La société actuelle*; partie positive: *La société nouvelle*.

PARTIE NEGATIVE
LA SOCIÉTÉ ACTUELLE

CHAPITRE PREMIER

LE CLERGÉ

I

Ibsen, dans son théâtre, fait le procès de la société actuelle, il s'attaque à son organisation, à ses préjugés, il démasque les conventions hypocrites de la morale sociale; il dissèque les grandes fictions, grandioses en apparence, que les hommes considèrent comme leur sauvegarde, — religion, autorité, mariage, famille. Tous les éléments, toutes les classes y ont leurs représentants; nous y rencontrons nos contemporains aux moeurs de philistins; les traits principaux de leurs caractères nous dévoilent les mobiles de leur activité et les bases de leur vie: la lâcheté et le mensonge.

Le clergé occupe une place très large dans cette hiérarchie sociale. Nous sommes dans un pays de protestantisme, mais les personnages d'Ibsen nous montrent que tous les prêtres se valent: «Chenilles ou papillons, c'est toujours la même bête.»

L'Eglise est partout conservatrice, elle s'obstine partout à placer son idéal en arrière; cet idéal repose sur le dogme de l'infaillibilité, c'est-à-dire de l'immobilité; elle est essentiellement rétrograde. Le cléricalisme est partout une plaie dans laquelle il faut porter le fer rouge. «Si le catholique fait un bambin du Héros Rédempteur, les protestants en font un vieillard impotent tout près de tomber en enfance. Si de tout le domaine de saint Pierre, ce qui reste au Pape, c'est une double clef, les protestants n'enferment-ils pas, dans l'enceinte d'une église, le royaume de Dieu, qui va du pôle au pôle? Ils séparent la vie de la foi et de la doctrine. Aucun d'eux ne songe à être. Leurs efforts, leurs idées ne tendent pas à vivre d'une vie pleine et entière. Pour trébucher comme ils font, ils ont besoin d'un Dieu qui les regarde entre ses doigts.»

Si la morale protestante est supérieure à celle des jésuites qui enseigne, entre autres que «quand celui qui nous décrie devant des gens d'honneur continue, après l'avoir averti de cesser, il nous est permis de le tuer, non pas véritablement en public, de peur de scandale, mais en cachette, *sed clam*», les pasteurs protestants ne considèrent point la tolérance et l'humilité comme «des fleurs rares, aux parfums subtils et pénétrants».

Si la divergence des préceptes moraux des Eglises prouve qu'aucune ne possède les véritables, la concordance de leurs bases et de leurs moyens d'action prouve également qu'elles cherchent moins à répandre la justice qu'à gagner le pouvoir sur les âmes de la foule. La religion n'est plus qu'un prétexte, le but à atteindre, c'est la force sociale. «Prends la lanterne de Diogène, Basile, — dit Jullien, l'un des personnages de l'*Empereur et Galiléen*, — éclaire cette nuit ténébreuse.... Où est le christianisme?»

Le christianisme primitif, proclamant à la fois l'unité de Dieu et la fraternité humaine a fini par changer ses bases premières, il a abandonné les petits et les humbles pour se mettre, au nom de Jésus le Pauvre, au service des riches; c'est lui qui a établi deux morales, celle du seigneur et celle de l'esclave, qui a divisé les hommes en maîtres et parias. Il s'est éloigné des idées d'égalité et de justice, il s'est avili devant le capital, il est arrivé à ce degré de déconsidération et de dégradation où nous le voyons de nos jours. Le christianisme est l'auteur de tous les crimes qui ont désolé l'humanité depuis dix-neuf siècles. «La religion a de tout temps compris une morale religieuse, consistant dans l'exécution des ordres de la divinité, seulement ces ordres n'étaient pas guidés par la règle du bien, mais par le caprice ou l'intérêt de celle-ci, ce qui fait naître des conflits graves et fréquents entre la morale psychologique et la morale sociologique, autrement dit le droit. Celle-ci pour rester extérieure et ne pas devenir inquisitoriale doit parfois se contenter de l'apparence et arrive ainsi à des décisions qui blessent profondément l'équité.»

Il suffit de jeter un coup d'oeil sur ce qui se passe autour de nous pour reconnaître que l'Eglise, que toutes les Eglises sont des foyers d'exploitation et d'horreur. Partout les Eglises possèdent de vastes domaines et d'immenses revenus, partout leurs privilèges les rattachent à l'organisation politique. Elles sacrifient, pour de l'argent, tout ce que la religion a de plus grand à des pratiques plus païennes que chrétiennes. Les cérémonies religieuses sont des actes de féerie, où les décors sont empruntés à toutes les choses du luxe moderne. Les mariages et les enterrements religieux sont des scènes de l'opéra-bouffe avec la différence que les prix sont plus élevés qu'au spectacle, car les bénédictions et les malédictions de l'Eglise sont toujours payées. Au nom du ciel, l'Eglise détruit tout ce qu'il y a d'humain sur la terre; au nom de l'immortalité de l'âme et de la vie future, elle enlève à l'homme le bonheur de la vie présente. C'est l'Eglise qui a appris aux hommes que tout peut s'acheter, morale, conscience, même les places dans un monde meilleur.

«Que venez-vous faire à l'église? s'écrie Brand Le décor, le décor seul vous attire, le chant de l'orgue, le sondes cloches, l'envie de vous tremper dans la flamme d'une éloquence de haut parage, dont les accents s'enflent ou baissent, qui déborde, tonne ou fouette selon toutes les règles de l'art.»

Toutes les religions, avec leurs dieux, leurs demi-dieux et leurs prophètes, leurs messies et leurs saints, ont été créées par la fantaisie crédule des hommes non encore arrivés au plein développement et à la pleine possession de leurs facultés intellectuelles. Le ciel religieux n'est autre chose qu'un mirage, où l'homme, exalté par l'ignorance et la foi, retrouve sa propre image, mais agrandie et renversée, c'est-à-dire divinisée. L'histoire des religions, celle de la naissance, de la grandeur et de la décadence des dieux qui se sont succédé dans la croyance humaine, n'est rien que le développement de l'intelligence et de la conscience collective des hommes. A mesure que, dans leur marche historiquement progressive, ils découvraient, soit en eux-mêmes, soit dans la nature extérieure, une force, une qualité, ou même un grand défaut quelconques, ils les attribuaient à leurs dieux, après les avoir exagérés, élargis outre mesure, comme le font ordinairement les enfants, par un acte de leur fantaisie religieuse. Grâce à cette pieuse générosité des hommes croyants et crédules, le ciel s'est enrichi des dépouilles de la terre, et, par une conséquence nécessaire, plus le ciel devenait riche et plus l'humanité, plus la terre, devenait misérable.

Une fois la divinité installée, elle fut naturellement proclamée la cause, la raison, l'arbitre et la dispensatrice absolue de toutes choses; le monde ne fut plus rien, elle fut tout, et l'homme, son vrai créateur, après l'avoir tirée du néant à son insu, s'agenouilla devant elle, l'adora et se proclama sa créature et son esclave.

Dieu étant tout, le monde réel et l'homme ne sont rien. Dieu étant la vérité, la justice, le bien, le beau, la puissance et la vie, l'homme est le mensonge, l'iniquité, le mal, la laideur, l'impuissance et la mort. Dieu étant le maître, l'homme est l'esclave. Incapable de trouver par lui-même la justice, la vérité, il ne peut y arriver qu'au moyen d'une révélation divine. Mais qui dit révélation dit révélateurs, messies, prophètes, prêtres et législateurs, inspirés par Dieu même; et ceux-là, une fois reconnus comme les représentants de la divinité sur la terre, comme les saints instituteurs de l'humanité, élus par Dieu même pour la diriger dans la voie du salut, exercent nécessairement un pouvoir absolu. Tous les hommes leur doivent une obéissance passive et illimitée, car, contre la raison divine, dit Bakounine, il n'y a point de raison humaine, et contre la justice de Dieu, il n'y a point de justice terrestre qui tienne. Esclaves de Dieu, les hommes doivent l'être aussi de l'Eglise, c'est-à-dire de ses représentants qui, pour atteindre leur but, ne négligent aucun moyen. Serviteurs de Dieu, ils deviennent aussi ceux des puissants de la terre. Le pasteur Manders trouve qu'on doit se rapporter dans la vie au jugement, aux opinions autorisées des autres. «C'est un fait et cela est bien.» Que deviendrait la société s'il en était autrement!

—«Et qu'entendez-vous par les opinions des autres? demande-t-on au pasteur Manders.

—J'entends, répond celui-ci, les gens qui occupent une position assez indépendante et assez influente pour qu'on ne puisse pas facilement négliger leur manière de voir.» Pour le pasteur Manders l'opinion publique est tout: «Nous ne devons pas, dit-il, nous livrer aux mauvais jugements et nous n'avons nullement le droit de scandaliser l'opinion.»

Le prêtre est l'ennemi de toute société qui désire le progrès et la liberté. Il étouffe la morale naturelle pour assurer la domination de sa caste. Il ne vit que par l'ignorance des masses, écrase la raison sous la passivité de l'obéissance fataliste.

Nos prêtres ne sont point ce qu'un vain peuple pense; Notre crédulité fait toute leur science.

Le pasteur Manders trouve qu'il faut, dans la vie, compter sur une heureuse étoile, sur la protection spéciale d'en haut. Il s'agit, par exemple, d'assurer contre l'incendie, un asile. Le pasteur Manders s'y refuse. «On serait tout disposé à croire que nous n'avons pas confiance dans les décrets de la Providence,» dit-il. Et lorsque cette protection manque, lorsque l'asile est détruit par le feu, le pasteur Manders déclare que c'est la «la main de Dieu pour punir les incrédules.»

L'idée de Dieu implique l'abdication de la raison et de la justice humaines; elle est la négation la plus décisive de la liberté de l'homme et aboutit nécessairement à l'esclavage, tant en théorie qu'en pratique.

Le pasteur Manders reproche à Mme Alving d'avoir été dominée toute sa vie par une invincible confiance en elle-même, de n'avoir jamais tendu qu'à l'affranchissement de tout joug et de toute loi, de n'avoir jamais voulu supporter une chaîne quelle qu'elle fût. La révolte?—Jamais! «Notre devoir consiste à supporter en toute humilité la croix que la volonté d'en Haut trouve bon de nous imposer.» Le bonheur?—Nous n'y avons pas droit. «Chercher le bonheur dans cette vie, c'est là le véritable esprit de rébellion.»

La lumière? S'éclairer dans les limites du possible?—Point. La lumière, la morale, l'honneur sont le monopole de la religion. Elle seule commande à la terre, au nom du ciel. Dans *Rosmersholm* le recteur Kroll cherche à démontrer que les dévots seuls peuvent avoir des principes moraux.

ROSMER.—Ainsi tu ne crois pas que des libres-penseurs puissent avoir des sentiments honnêtes?

LE RECTEUR.—Non, la religion est le seul fondement solide de la moralité.

C'est grâce probablement à cette moralité que l'éternité des peines est considérée comme un dogme fondamental de la religion chrétienne qui n'a pas été répudié par le protestantisme. Cette solution donne à cette religion un aspect de sévérité qui apparaît plus grand encore quand on songe que l'enfer est encouru pour de simples infractions à la morale rituelle.

Pour eux-mêmes, ces prêtres sont moins sévères; eux-mêmes, ils font tout le contraire de ce qu'ils prêchent; eux-mêmes, ils ne sont point esclaves prosternés d'aucun symbole, d'aucune morale, car si leur foi est prospère, leur bonne foi est absente.

Le vicaire Rorlund prêche une austérité implacable et fait la cour à la jeune Dina; mais «quand on est, par vocation, un des soutiens moraux de la société, dit-il, on ne peut être trop circonspect».

La Bible, l'Evangile d'où ils prétendent tirer leur enseignement, ils les interprètent à leur manière. Voici comment le pasteur Straamand explique à un un jeune séminariste le *Ne construis pas sur le sable* de l'Evangile. Cela veut dire, d'après lui, que «sans rémunération on ne peut prêcher ni en Amérique, ni en Europe, ni en Asie, nulle part enfin».

La religion n'est plus pour eux un apostolat, mais un métier, un gagne-pain, un commerce. Ce ne sont pas les problèmes de religion ou de morale, mais les luttes politiques qui les intéressent; politiciens, industriels, conférenciers, ils traitent dans les églises et dans les temples des sujets d'actualité et des questions à la mode.

Par le mot *charité* ils trompent et exploitent le peuple qu'ils devraient éclairer et soutenir. «Il n'y a pas de mot qu'on traîne dans la boue comme le mot *charité*. Avec une ruse diabolique on en fait un voile pour masquer le mensonge.»

«Dieu n'a pas besoin du mensonge, mais le mensonge a souvent besoin de Dieu, et il n'est jamais si puissant ni si pervers que lorsqu'il s'impose en son nom!»

II

Par ses superbes conquêtes la science a dévoilé les sacrifices, les prières, les puissances occultes, les mystères par lesquels les Eglises exploitaient les hommes. Lasse d'être trompée sans cesse, la pauvre humanité commence à ouvrir les yeux et à se rendre compte des crimes des Eglises dont elle était victime. L'homme, éclairé par la lumière des sciences, s'aperçoit que les erreurs des Eglises étaient voulues, conscientes, engendrées parles mensonges des uns, par les intérêts lucratifs des autres. L'homme, aigri par les injustices, qui souffre d'inégalité sociale; les âmes tourmentées qui cherchent à apaiser, à la source qu'on appelle divine, leur soif de justice, d'idéal, d'infini, trouvent la désillusion auprès des représentants de ce Dieu invisible au nom duquel ils commettent tant d'horreur.

«Dix mille poissons partagés au nom d'une idole ne sauveraient pas une seule âme en détresse.»

C'est au nom de ce Dieu, qu'on ne vient jamais en aide à un peuple frère dont la liberté et même la vie sont menacées. C'est au nom de ce Dieu que l'on s'arme à outrance pour détruire les peuples amis de la paix. C'est au nom de ce Dieu que l'on déchaîne des haines populaires contre ceux qui ne professent pas certaines idées religieuses. C'est au nom de ce Dieu qu'on laisse mourir de faim et de froid des milliers d'êtres humains tandis que les églises et les temples restent vides et que leurs coffres-forts regorgent d'or!

Les plus crédules commencent à comprendre que ce Dieu agonise et que ses représentants sont les plus terribles exploiteurs des âmes simples. Où donc est-il le Dieu infini, universel, vers lequel aspire l'humanité souffrante?

Héritiers de toutes les haines et de toutes les erreurs, les prêtres montent avec une incroyable audace à l'assaut de la société moderne, mais c'est en vain qu'ils cherchent partout dans le socialisme, dit chrétien, un *modus vivendi* pour reprendre leur omnipotence au sein des masses. Leurs hypocrisies sont déjà trop connues. Toutes les religions sont cruelles, toutes sont fondées sur le sang; car toutes reposent principalement sur l'idée du sacrifice, c'est-à-dire sur l'immolation perpétuelle de l'humanité à l'insatiable vengeance de la divinité. «Dans ce sanglant mystère, l'homme est toujours la victime, et le prêtre, homme aussi, mais homme privilégié, est le divin bourreau. Cela nous explique pourquoi les prêtres de toutes les religions, les meilleurs, les plus humains, les plus doux, ont presque toujours quelque chose de cruel.»

Le clergé du théâtre d'Ibsen a le visage dur, un vent de sécheresse passe sur lui.... «Pour avoir la foi, il faut avoir une âme», et ces marchands de grâces divines n'en ont point. Leur *credo*, c'est le mensonge....

CHAPITRE II

LES POLITICIENS ET LES CAPITALISTES

Le *Credo* politique et social se façonne et se modèle sur le Credo religieux, — toujours hypocrite, jamais sincère. «Que se cache-t-il sous les apparences brillantes et fardées dont la société se montre si fière? La pourriture et le néant. Toute moralité lui manque. Elle n'est rien qu'un sépulcre blanchi.»

Jamais la société n'a atteint un tel degré de décomposition sociale; un ramollissement effroyable se produit dans les moeurs; on ne pense qu'à satisfaire ses passions brutales, ses goûts, ses caprices. La fortune est aux plus audacieux; les honneurs, la gloire, aux plus habiles. Posséder, jouir, dominer, voilà les vertus d'aujourd'hui.

Les vertus les plus sublimes
Ne sont que des vices dorés.

Il y a quelque chose de si faux, de si vide, de si plat et de si mesquin dans la manière de voir de notre race! dit Brand. Qui donc, même à son lit de mort, consentirait à faire une offrande en secret? Demande au héros de cacher son nom et de se contenter de la victoire! Pose la même condition à un roi, à un empereur, et tu verras s'il accomplira quelque chose. Demande au poète d'ouvrir en secret la cage à ses beaux oiseaux chanteurs sans qu'on sache qu'ils lui doivent leur essor et l'éclat de leur plumage! Non, l'abnégation ne fleurit nulle part ni dans les hautes futaies ni dans les buissons. Le monde est dominé par des idées d'esclave. Jusque sur les bords de l'abîme il s'attache avec une âpre fureur à la poussière de la vie; lorsqu'elle cède et s'effrite, on voit encore les hommes s'accrocher aux brins d'herbe, enfoncer leurs ongles dans la boue.

L'édifice social est construit sur une base oppressive qui paralyse tous les efforts libres. Toute tendance émancipatrice effraye «les soutiens de la société»; ils ont peur de la lumière.

«STOCKMANN. — N'est-ce pas le devoir d'un citoyen de mettre le public au courant des idées nouvelles?

LE PRÉFET. — Le public n'a pas du tout besoin de nouvelles idées. Il vaut mieux pour lui se contenter des bonnes vieilles idées qu'il connaît déjà.»

Et lorsqu'un homme fait retentir une voix libre dans ces ténèbres, on le déclare ennemi de la société.

«STOCKMANN. — C'est moi qui veux le vrai bien de la ville. Je veux dévoiler les fautes qui tôt ou tard apparaîtront au grand jour. Oh! on va bien voir que j'aime ma ville natale.

LE PRÉFET. — Tu l'aimes! Toi, qui par une aveugle bravade veut supprimer la principale source de richesse de la ville!

STOCKMANN. — Cette source est empoisonnée! Nous vivons ici dans les immondices et la putréfaction! c'est grâce à un odieux mensonge que notre jeune société suce, pour se nourrir, la richesse des autres.

LE PRÉFET. — Illusion! Imagination! Pour ne pas dire plus encore! L'homme qui lance des insinuations aussi offensantes contre sa ville natale est un *ennemi de la société*.»

Ibsen démasque ceux qui se chargent de maintenir ce qu'il est convenu d'appeler l'ordre social, ceux qui prêchent la plus rare des *vertus*, — la morale sociale. L'homme de sens est pour eux celui qui agit dans leur sens. Quand le défaut d'un autre leur est profitable, ils voudraient l'ériger en *vertu*.

Dans *John-Gabriel Borckman*, le dramaturge norvégien nous montre comment une conscience peut être obscurcie par le désir trop intense d'atteindre le pouvoir, comment un homme saisi par la passion du pouvoir et de l'argent qui le donne, arrive à sacrifier son honneur, ses plus intimes tendresses, à perdre la pitié pour ceux qui l'entourent et pour lui-même. Pour conserver sa fortune et son pouvoir, l'un des héros de la pièce dont l'honorabilité paraît à l'abri de tout soupçon, a eu recours au vol, il laisse peser l'accusation de son crime sur son ami intime.

Tous les «soutiens de la société» qu'Ibsen nous présente ont chacun au moins un point noir qu'il leur faut dissimuler. Ils accumulent les richesses par tous les moyens, au détriment des autres, et ils veulent faire croire que la fortune leur a donné une nature supérieure et le droit de diriger à leur gré le troupeau humain, qu'ils considèrent comme une classe inférieure à eux. Ils s'érigent en classe dirigeante, ils prétendent maintenir sous leur tutelle la masse des travailleurs qui les nourrit par ses travaux pénibles et incessants. Ils généralisent des idées, ils composent des phrases, des formules, et ils les lancent dans la foule, comme un dogme religieux ou politique. Les phrases générales sont devenues une monnaie courante. L'aphorisme de Guizot: «Parler, c'est gouverner» est devenu la loi conductrice des hommes politiques dont le consul Bernick est le type autorisé.

«Notre industrieuse petite ville, dit-il, s'inspire, Dieu merci, d'idées saines et morales, que nous avons tous contribué à faire germer, et que nous continuerons à développer de notre mieux, chacun dans notre sphère. Vous, monsieur le Vicaire, appliquez votre bienfaisante activité à l'école et à la famille. Nous autres, les hommes du travail pratique, nous servirons la société en y répandant le bien-être; et nos femmes et nos filles continueront comme par le passé leurs oeuvres de bienfaisance.»

Bernick est l'homme le plus riche et le plus influent de la ville, tout le monde s'incline devant lui, sa maison passe pour une maison modèle, sa vie pour une vie modèle, mais cette bonne réputation, ce bonheur, reposent sur un terrain fangeux, sur des mensonges. Sa fortune, il l'a volée et a fait croire que c'est un autre, un associé, qui se l'est appropriée; il a aimé aussi, dans sa jeunesse, une femme qu'il abandonna pour en épouser une autre plus riche. Pendant toute sa vie il n'a eu que deux cultes, celui de l'hypocrisie et celui du mensonge, pas d'autre. Lui, l'homme le plus considéré de la ville, le plus heureux, le plus riche, le plus puissant et le plus honoré, il a laissé accabler un innocent sous le poids de sa propre faute, et lorsque quinze ans plus tard l'innocent, revenu d'Amérique où il avait été obligé de se réfugier, demande que Bernick dise à tous la vérité, celui-ci s'écrie: «A l'heure même où j'ai le plus besoin de toute ma considération! c'est impossible!»

Et tout le monde lui accorde cette considération, car on ne mesure point la valeur d'un homme politique à la puissance de ses idées, ni à ses moyens pour les faire aboutir, mais à son éloquence vide, pleine de lieux communs et de formules sans fond. Ou se laisse entraîner et éblouir par des discours ronflants, des déclamations pompeuses et un verbiage sonore, mais dépourvu d'idées et de sentiments.

On ne vit que sur des mots, des mots, toujours des mots! On demande à Monsen s'il renoncerait à s'occuper de ses intérêts privés si les électeurs portaient leur choix sur lui. «Mes intérêts privés en souffriraient sûrement; mais, si l'on croit que le bien public l'exige, je mettrai de côté toute considération personnelle»,—et il s'empare de la fortune d'un autre et disparaît.

Les politiciens d'Ibsen prêchent le respect de l'ordre, mais qu'est donc leur ordre, sinon la sécurité des spéculateurs ne tremblant pas pour leurs biens mal acquis!

«Quand on se mêle à la vie publique, dit Bratsberg, on se trouve quelquefois forcé à des compromis et on ne peut pas conserver aussi bien son indépendance de caractère et de conduite.»

Et ces gens sont les maîtres de la société!

Lorsque, il y a dix-neuf siècles, en présence d'une foule où il y avait certainement des pauvres et des ouvriers, Jésus de Nazareth déclara qu'il était plus aisé de faire passer un chameau par le trou d'une aiguille que de voir un riche entrer dans le royaume des cieux, les riches qui entendirent cette parole durent trouver qu'elle ne servirait guère à apaiser les haines sociales. Et puisque le royaume des cieux leur est refusé, ils décidèrent de conquérir celui de la Terre. Ils tâchent d'imposer leurs principes aux autres. Et on les suit. En les voyant bien posés dans le monde et entourés de considération, bon nombre de natures faibles viennent à eux, fières d'être admises en si bonne compagnie. Celles qui résistent le payent cher.

Kropp, chef d'usine du consul Bernick, fait avertir Aune, contremaître dans cette usine, de cesser les conférences qu'il fait chaque samedi aux ouvriers.

«AUNE.—Comment! je croyais qu'il m'était permis de consacrer mon temps libre à être utile à la société.

KROPP.—Le consul dit que c'est ainsi qu'on la désorganise.

AUNE.—Ma société n'est pas celle du consul.

KROPP.—Avant toutes choses vous avez à remplir votre devoir envers la société du consul Bernick, car c'est lui qui vous fait vivre.»

Telle est leur justice. *Fiat justitia, percat mundus!* Et l'on parle de liberté!

«Liberté, égalité, fraternité n'ont plus le même sens qu'au temps de la guillotine. Et les politiciens ne veulent pas le comprendre, et je les hais. Ils ne désirent que des révolutions politiques, extérieures, et ce qu'il faut; c'est la révolte de l'esprit humain.»

Hélas! tout le monde ne peut pas se révolter. L'intolérable situation, que le consul Bernick crée à son ouvrier Aune, le prouve. Je ne puis ne pas citer ici le court dialogue qui présente si magistralement tout un drame social.

«L'action sociale est faite de drames, comme la pensée est faite de phrases. Un drame est une phrase qui a pour mots des actes humains.»

Le consul Bernick, sans vouloir augmenter le nombre de ses ouvriers, exige d'Aune que le bateau d'Etat, l'*Indian-Girl*, qu'on répare dans ses usines, soit prêt en quelques jours à prendre la mer:

AUNE.—Mais c'est impossible. A fond de cale, le bateau est tout pourri, monsieur le Consul.

BERNICK.—Il me le faut, autrement, je vous congédie.

AUNE.—Me congédier? moi dont le père et le grand-père ont travaillé toute leur vie sur ce chantier! Avez-vous bien réfléchi, monsieur le Consul, à ce que vous feriez en renvoyant ainsi un vieil ouvrier? Croyez-vous que tout finisse pour lui avec un changement de maître? Je voudrais que vous en vissiez un que l'on vient de chasser, rentrer, le soir, dans sa maison, et poser ses outils derrière la porte.... C'est à moi que les miens jetteront la pierre au lieu de vous la jeter. Ils ne me feront pas de reproches, ils n'en auront pas le courage; mais de temps en temps, je sentirai qu'ils me regardent d'un air interrogateur et qu'ils se disent: «En somme, il doit bien l'avoir mérité.»

BERNICK.—C'est ainsi que va le monde. Il faut que le navire soit prêt; je ne veux pas que la presse m'attaque; je veux qu'elle me soit favorable et me soutienne pendant que j'élabore une grande affaire.

AUNE.—Un pauvre ouvrier peut avoir aussi des intérêts à sauvegarder ... des intérêts de famille.... Ainsi on travaillera ... et l'*Indian Girl* pourra prendre la mer après-demain.... Mais je ne réponds de rien....

Et le navire prend la mer, et, mal réparé, il coule, et il y a des victimes.... Le consul Bernick en était averti à temps.... Mais que lui importe? Il a sa bonne presse....

Le fossé qui sépare les hommes et les classes devient comme une immense tranchée où vont se précipiter, poussés par l'intérêt, par le besoin, par la haine, tous les membres de notre société malade. Jamais la question sociale n'a été plus aiguë; dans un siècle où s'entassent richesses sur richesses, où se reflètent lumière sur lumière, les hommes, souvent les meilleurs, meurent de faim, les parents tuent leurs enfants pour ne pas les entendre crier: du pain! Et on appelle cela: *civilisation!* Honte et horreur!

L'exploitation du travail par le capital est la règle de notre corps social, elle amène le paupérisme, cette tache hideuse, cette lèpre de l'humanité, cette mauvaise conseillère de l'homme.

Le travail est une loi écrite à la première page de l'histoire de l'univers, mais personne ne doit échapper à cette loi. Le travail naturel est un état de félicité; il procure à celui qui s'y livre une jouissance intime, exquise. Il y a en celui qui travaille un accroissement de vie saine et forte, dont le sentiment lui est délicieux. Mais le travail forcé, excessif, est une souffrance. Le travail est la loi inviolable sous le niveau de laquelle tous doivent plier; il doit régner du haut en bas de la société. Mais est-il juste que les uns travaillent à l'excès et que les autres mènent une vie oiseuse? Est-il juste que la richesse fainéante profite des produits du travail de ceux qui peinent démesurément? La capital est le lot du petit nombre, et c'est la foule qui travaille, c'est la foule qui est exploitée. Les grosses fortunes s'accroissent et la misère se généralise. L'argent devient le maître, il donne ou refuse du travail, c'est-à-dire du pain, à l'ouvrier qui est à sa merci. Celui-ci travaille sans relâche, sans repos, n'ayant jamais de loisir, tant que sa poitrine a un souffle, tant que ses bras lui obéissent, tant qu'on lui donne du travail. Et lorsqu'on le lui refuse, il se retrouve sur le pavé de la rue, sans abri, sans argent; il ne peut attendre de personne ni appui ni secours; plus malheureux qu'un cheval hors de service qu'on abat par charité, il est condamné à voir sa femme, ses enfants, lentement, mourir de faim. N'est-ce pas là le vrai esclavage? L'esclavage n'est pas venu, comme on se plaît à le croire, de la guerre; il a été l'aliment et même la cause des guerres. L'esclavage vient du capital ou accumulation des revenus, car, tant qu'il n'y eut pas excédent de revenus ou lorsque l'excédent était trop faible, l'esclavage ne pouvait s'établir. Mais au fur et à mesure du développement du capital marchait à sa suite cette institution néfaste qui permettait à certains hommes de s'approprier le travail de leurs semblables en leur donnant en échange un minimum de subsistance ou, comme aujourd'hui, un minimum de salaire. C'est une violation et une atteinte injustifiable à la dignité humaine. Cet ordre de choses permet aux puissants du jour d'accaparer une plus large part de la fortune commune, il crée le despotisme, il augmente le nombre des prolétaires, et l'antagonisme des classes en est le fruit inévitable. Le jour où les hommes ont le droit d'acheter les services d'autrui, l'esprit de solidarité va en s'affaiblissant et toutes les tendances se portent vers la possession des richesses.

Plus les jouissances des uns deviennent bruyantes, plus les souffrances des autres apparaissent humiliantes. «Le capital est fils du travail; la propriété est fille du capital», disent les riches. Mais si la propriété est fille du travail, pourquoi les vrais travailleurs n'arrivent-ils jamais à la propriété, même par un travail opiniâtre, pénible, qui trop souvent les tue? Pourquoi les prolétaires, les «déclassés» se recrutent-ils généralement parmi ceux qui travaillent et non pas parmi les riches, les oisifs? Demandez à ces travailleurs qui consument leur vie dans une misère permanente, si leur travail leur vaut jamais des droits à la propriété? Ceux qui ne meurent pas avant l'âge achèvent leur misérable existence dans un état épouvantable. Ce n'est pas dans leurs rangs que se forment des propriétaires contents et satisfaits.

Et l'exploitation capitaliste tue non seulement les mineurs, les salariés, les ouvriers de fabriques et d'usines, mais aussi les ouvriers de la pensée, travailleurs intellectuels, vivant au jour le jour, sans pouvoir penser au lendemain, à la maladie, au chômage. Ils travaillent tant qu'ils portent en eux une étincelle de vie; cette étincelle éteinte, ils tombent, épuisés, cassés. Et les autres, les riches, les oisifs, les paresseux, les vrais parasites, leur crient: «Déclassés!»

«Pour que les grands jouissent et prospèrent, disent-ils, il faut que les petits souffrent et végètent.» Le faut-il? Malheureux, ils ne voient donc pas que les *petits* bougent? Leur réveil sera affreux, car l'homme le plus terrible est celui qui a faim. Ne voient-ils donc pas se former cette force nouvelle, d'une puissance écrasante, *la grève*, qui se développe avec une rapidité inouïe? Elle devient de plus en plus redoutable, elle s'approche et, comme la foudre, elle éclatera le jour où on l'attendra le moins.

«D'un coté, les riches et leurs clients s'efforcent de représenter l'organisation actuelle du travail et la répartition des biens comme un résultat du libre jeu des lois naturelles, ferment les yeux sur la misère où croupissent des millions de leurs semblables, déclarent inévitables les maux qu'il leur est impossible de nier, couvrent d'un badigeon rose les fissures de la muraille, trouvent tout excellent, tout délicieux, dans un monde où rien ne leur manque, et pour le reste se reposent sur la fusillade et sur le canon. D'un autre côté, la classe ouvrière, sans propriété, dépendant pour son existence immédiate du travail qu'il plaît à d'autres de lui accorder en s'en appropriant le bénéfice, est loin d'admirer cet ordre de choses. Ne le jugeant pas immuable, elle ne veut plus s'en contenter et s'organise à peu près dans tous les pays pour le transformer par les voies révolutionnaires ou par des crimes.»

Car l'ouvrier Aune a commis un crime, mais à qui la faute? Il est las du travail déprimant auquel le condamne sa misère. La douleur morale et physique, si patiente qu'elle soit, a des limites. La misère est un guide terrible; elle mine la raison, la pensée humaine, elle engendre la haine, elle est ténèbres et chaos. C'est la misère qui conduit les classes pauvres à ces effrayantes dégradations humaines et sociales. La souffrance devient convulsion et la compression se transforme en explosion; l'obéissance passive devient révolte, et lorsque l'effort du labeur est résolu par l'effort de la colère, de l'exaspération, alors, c'est horrible, ces hommes doux, qui sont las de souffrir, deviennent des monstres....

Encore une fois, à qui la faute? N'est-ce pas à ceux qui établissent deux lois, deux morales, les unes pour eux, les autres pour le peuple! Et on appelle cela: Fraternité! Combien Blanqui a-t-il raison de dire que «la fraternité n'est que l'impossibilité de tuer son frère».

La fraternité, aujourd'hui! une hypocrisie, un piège, un poignard! La fraternité de Caïn!—L'inquisition disait: mon frère! à sa victime sur le chevalet. Ce mot: *la fraternité* sera bientôt un sarcasme comme cette autre parole: pour l'amour de Dieu! devise de charité divine, devenue l'ironie suprême de l'égoïsme et de l'insensibilité. Faible, l'homme se laisse réduire à un minimum en raison même de sa faiblesse. Fort, il empiète et dévore dans la mesure de sa force. Il ne s'arrête qu'aux barrières infranchissables. *Homo homini lupus.*

«Aucun homme de sens ne peut soutenir qu'il soit juste qu'une faible minorité jouisse de tous les avantages de la vie, sans les avoir gagnés par son travail ou mérités d'une façon quelconque, tandis que l'immense majorité vient au monde condamnée à une vie de labeur incessant, pour trouver à grand'peine une substance précaire.»

Qui donc ne se sent pas pris d'une immense pitié pour ces déshérités de la vie, pour ces pauvres gens qui peinent et qui souffrent, qui n'ont pas ici-bas leur part de soleil et de bonheur? ... Oui, l'ouvrier Aune a commis un crime, mais n'est-ce pas le crime du consul Bernick qui l'a engendré? Les crimes des hommes qui se disent supérieurs poussent à la dégradation ces êtres, affaiblis par le travail exagéré, par la misère, aptes à subir si profondément l'influence extérieure.

Les riches et les forts n'ont même pas besoin d'entourer leurs vices et leurs crimes d'ombre et de mystère, ils peuvent les pratiquer au grand jour; pour les défendre, ils ont tout à leur disposition: l'argent, la force publique, la presse.

CHAPITRE III

LA PRESSE

La presse est le représentant attitré des «soutiens de la société». C'est par sa voix qu'ils répandent leurs mensonges. Le journal joue aujourd'hui le rôle le plus important qu'il soit possible d'imaginer, son influence est immense, il dirige en maître incontesté les destinées des peuples. Ibsen nous montre en quelles mains néfastes se trouve, généralement, cette force puissante. «Je rédige mon journal, dit Aslaksen dans l'*Union des jeunes*, d'après le principe suivant: c'est le grand public qui fait vivre les journaux, mais le grand public est le mauvais public, il lui faut donc un mauvais journal. Tous les numéros de ma feuille sont conçus dans cet esprit. D'ailleurs, mon journal est ma seule source dévie.»

Le *Phare* est l'organe du parti radical. Son rédacteur en chef, Pierre Mortensgaard, est très content de l'évolution du pasteur Rosmer, il est convaincu que cette nouvelle recrue est d'une grande importance pour son parti, mais il déclare à Rosmer que s'il veut servir la cause libérale, il lui faut garder le silence sur son apostasie, car «des libres-penseurs, le parti en compte suffisamment, ce qui lui manque, ce sont des hommes respectables, animés de sentiments chrétiens».

Autrefois les écrivains, les savants passaient une partie de leur vie à étudier les moeurs d'une époque avant d'en écrire l'histoire; aujourd'hui, les *reporters*, souvent d'intelligence bornée, parlent sur tous les sujets sans en connaître un mot. Ils débitent des contes risibles, des scandales navrants, des histoires mensongères. Ce sont eux qui écrivent l'histoire contemporaine à laquelle ils donnent la couleur de leur journal, d'où la vérité est bannie: leur seul but est de débiter leur marchandise. La presse est devenue une institution industrielle. Le reporter est l'âme du journal, la source la plus féconde de sa prospérité matérielle. Le public ajoute moins d'importance aux articles de fond qu'aux nouvelles diverses. Les journaux qui font fortune sont ceux qui arrivent à avoir la primeur des attentats et des scandales. Ils ne cherchent que la glorification du vice sous toutes ses formes, les plus triviales comme les plus raffinées. Quelle triste école d'inconscience, de légèreté, de servilisme! A quel déplorable spectacle la presse nous fait assister!

L'injure n'a plus de bornes, toutes les bassesses sont déchaînées, tout est atteint: talent, honneur, probité, vertu. Souvent cela va jusqu'au crime. L'absurdité de ses polémiques n'est égale qu'à la valeur morale de ses louanges pompeuses. Oeuvre de désagrégation et de haine, elle crée un courant de lâcheté et de bassesse, de délation, de calomnie et de honte. Les reporters ont remplacé l'étincelle divine des sentiments généreux par la bouffonnerie et le grotesque.

Le scepticisme des temps présents est le fruit de ces feuilles qui sont un poison moral pour les masses. Les oeuvres sérieuses n'ont pas le temps de mûrir. Chacun mange son blé en herbe et vit pour le moment. On ne cherche ni la justice ni la vérité, mais le mot drôle; et une boutade, dite spirituelle, fait accepter les idées les plus absurdes, les plus révoltantes.

Petra Stockmann refuse de traduire pour le *Journal du peuple* une nouvelle anglaise parce que «c'est une histoire tendant à prouver qu'il y a une providence surnaturelle qui protège tous les gens soi-disant bons et qui à la fin leur donne toujours raison, tandis que les gens soi-disant mauvais reçoivent leur châtiment.

LE RÉDACTEUR HOVSTAD.—Mais c'est très gentil. C'est justement ce que le public demande.

PETRA.—Et c'est cela que vous voulez offrir à votre public? Vous savez bien que les choses ne se passent pas ainsi dans la vie réelle.

HOVSTAD.—Vous avez parfaitement raison, seulement un rédacteur ne peut pas toujours agir comme il veut. On est souvent forcé de s'incliner devant l'opinion du public dans les questions de peu d'importance. La politique est au fond la cause principale de la vie, du moins pour un journal; et, pour gagner le public aux idées politiques, il ne faut pas l'effrayer. Quand les lecteurs trouvent une histoire morale dans le rez-de-chaussée du journal; ils sont plus disposés à avaler et à digérer ce que nous publions au-dessus; ils se rassurent.»

Le journal s'est acquis, sur les esprits les plus éclairés comme sur les couches profondes une puissance sans pareille. Les réclames éhontées, dissimulées sous forme d'articles sont rédigées dans le but de tromper le public et causent la ruine des honnêtes travailleurs qui amassent péniblement un petit pécule.

Le peuple qui n'a ni les loisirs ni les moyens d'analyser sa volonté, ses désirs, ses idées, de les émettre librement, puise ses jugements dans le journal. C'est lui qui plie et façonne à son gré l'opinion publique, c'est lui qui la remue ou l'endort. Le journal est, pour les esprits simples, un oracle infaillible, ils croient ce qu'il propage, ils répètent ses raisonnements. On est trop pressé pour penser soi-même, on accepte et on fait siennes les appréciations les plus erronées, les opinions toutes faites sans examen ni analyse. On ne se demande pas si les jugements qu'on adopte ont été inspirés par la vérité ou le mensonge, par l'équité ou la passion.

Et dire que la presse pourrait être pour la société la source de toutes les vertus! La presse est ce qu'il y a de meilleur au monde lorsqu'elle vibre à l'unisson des grandes et nobles émotions, lorsqu'elle rend lucides les problèmes importants et combat les abus, lorsqu'elle sert la vérité et la justice. Malheureusement elle est mise souvent au service des ambitions personnelles les moins avouables et des cupidités les plus affreuses. Chaque jour, le poison est répandu par torrents, tandis que le remède se distribue goutte à goutte. Ah! certes, ce n'est pas la presse qu'il faut accuser, mais ses représentants, les hommes, les individus, les «soutiens de la société» qui la dirigent, les Aslaksen, les Hovstad, les Mortensgaard.

«Pierre Mortensgaard, dit le précepteur Brendel, est maître de l'avenir. Pierre Mortensgaard a en lui le don de la toute-puissance. Il peut faire tout ce qu'il veut ... car il ne fait jamais plus qu'il peut. Pierre Mortensgaard est capable de vivre sans idéal. Et cela, c'est précisément le grand secret de la conduite et de la victoire. C'est le résumé de toute la sagesse du monde.»

Le journal pourrait être le gardien le plus sûr du progrès, l'avant-garde de la justice, marchant à la conquête de la lumière, c'est lui qui pourrait arracher la foule aux suggestions funestes, lui dévoilant les desseins pervers de ses vrais ennemis, c'est lui qui pourrait l'affranchir du joug moral et matériel qui pèse sur sa tête depuis des siècles. Quelle noble mission pour celui qui se l'impose! il est beau le rôle que peut jouer chez un peuple libre, une institution comme la presse, mais il faut que le peuple, que ceux qui dirigent la presse aient une conception juste de la liberté; hélas, ne comprennent pas toujours la liberté ceux qui la possèdent!

Faut-il restreindre la liberté de la presse? Jamais! «C'est un grand péché que de tuer une pensée libre.» La liberté peut dégénérer et devenir licence, mais la liberté n'est pas et ne sera jamais la licence. D'ailleurs, on ne supprime pas le mal par le mal. Personne ne peut ni donner ni restreindre la liberté. Quand la presse deviendra digne de la liberté, elle la prendra elle-même, si elle ne l'a pas; en tous cas, elle saura en user. Aucune atteinte juridique à la presse ne peut être tolérée. «Dans un état social vraiment assis, l'action de la presse est très utile comme contrôle; sans la presse, des abus extrêmement graves sont inévitables. C'est aux classes honnêtes à décourager par leur mépris, la presse scandaleuse.» La parole et la pensée doivent être libres. L'homme ne serait pas l'homme, s'il ne parlait librement. Arrêter l'essor de la pensée, c'est rabaisser la dignité humaine. «Ce qu'il y a de mieux en nous, c'est la pensée.»

La liberté de la presse est sacrée, il faut qu'elle puisse toujours se produire librement, c'est l'un des biens de la civilisation, mais si

«Penser librement est beau
Penser juste est encore plus beau.»

Et c'est par la justice qu'on acquiert souvent la liberté, car elle ne s'octroie pas, il faut la conquérir. La liberté de parler et d'écrire, — lorsqu'on ne la comprend pas, c'est-à-dire lorsqu'on ne la porte pas dans son âme, — ne sert aux moralement faibles qu'a manifester leur jalousie pour les moralement supérieurs, en déversant sur eux leur malfaisante raillerie sinon leurs mensonges diffamatoires.

Le jour où l'on comprendra que l'invective ne remplace jamais la libre discussion, que les impuissants seuls substituent l'injure à la raison, que l'on combat mieux ses adversaires par des arguments solides que par des insultes, qu'on flagelle mieux les hypocrites avec la vérité, la justice, qu'avec la violence, la calomnie; le jour où l'on comprendra que la liberté de tout homme s'arrête là où elle viole la liberté d'autrui, la presse, comme toutes les autres institutions, deviendra libre, et sa langue barbare et indécente sera purifée. La corruption du langage amène la corruption des idées; elle fausse l'esprit qui devient incapable de distinguer la vérité de l'erreur. Le coupable n'est pas le lecteur, mais l'écrivain qui manque à la première condition de son apostolat.

En attendant cet âge d'or, n'oublions point que «la liberté de propager l'erreur et le mal par la parole et la presse a pour correctif naturel la liberté de propager par les mêmes moyens la vérité et le bien». Que les honnêtes gens en usent.

Passons à la famille.

CHAPITRE IV

LA FAMILLE

La famille a la plus grande part dans la corruption et dans la dégradation de la société actuelle. Le véritable mal est là, il faut avoir le courage de se l'avouer. Dans la *Comédie de l'amour*, dans le *Canard sauvage*, dans les *Revenants*, dans la *Maison de poupée*, Ibsen nous le dit avec une force et une franchise stoïciennes. «Votre mariage, crie Falk, mais c'est l'accord de deux positions convenables, ce n'est point de l'amour!» L'amour qui seul devrait former les unions, en est banni; c'est le code qui y préside. Le notaire rédige le contrat où chacun stipule ses intérêts, où le mari discute le chiffre de la dot, où la femme fait ses calculs, où l'on cherche à se tromper mutuellement. «L'amour a cessé d'être une passion, c'est une science cataloguée, une profession, avec ses corporations, son drapeau; les fiancés et les époux en forment les cadres et les remplissent avec une cohésion semblable à celle des plantes de la mer.» L'amour n'est plus un sentiment divin, c'est un vice. D'après les règles de la civilisation moderne, ce n'est pas la femme que l'homme épouse, c'est sa dot, son bien, sa fortune. Les mariages, pour la plupart, ne sont qu'un marché immoral où deux jeunes gens se vendent à prix d'or.

«Le mariage doit constituer une union que deux êtres n'accomplissent que par amour réciproque et pour atteindre leurs fins naturelles. Mais ce motif n'existe à proprement parler que très rarement de nos jours. Au contraire, le mariage est considéré par la plupart des femmes comme une sorte de refuge dans lequel elles doivent entrer à tout prix, tandis que l'homme, de son côté, en pèse et en calcule minutieusement les avantages matériels. Et la brutale réalité apporte même dans les mariages où les motifs égoïstes et vils n'ont eu aucune action, tant de troubles et d'éléments de désorganisation que ceux-ci ne comblent que rarement les espérances que les époux caressaient dans leur jeune enthousiasme et dans tout le feu de leur premier amour.»

Or, le mariage actuel n'est qu'une forme légale de la prostitution qui amène la diminution graduelle de la fécondité et l'accroissement de la dépopulation.

La cause de l'affaiblissement de la natalité est connue: la volonté de l'homme la détermine. «Nous ne sommes pas assez riches pour nous donner ce luxe-là.» Les enfants sont une charge qui diminue les jouissances égoïstes des parents. Les riches ne veulent pas laisser trop de copartageants de leur fortune; les moins riches craignent de succomber sous le poids d'une famille nombreuse. Seules, les familles misérables ont beaucoup d'enfants. Plus la richesse et l'aisance s'accroissent, plus le nombre des enfants diminue. Les pauvres sont moins abstentionnistes que les riches parce qu'ils n'ont pas le soin de l'héritage à laisser en partage, et parce que les classes travailleuses étant plus dépourvues de plaisir que la classe, dite supérieure, se laissent aller au besoin génésique. D'ailleurs, les unions se font plus librement parmi les ouvriers.

L'union libre, la société dirigeante la repousse et la flétrit.

Le pasteur Manders appelle foyer, le foyer domestique où un homme vit avec sa femme et ses enfants.

«OSWALD, peintre.—Oui, ou avec ses enfants et la mère de ses enfants.

LE PASTEUR.—? Mais ... miséricorde!

OSWALD.—Quoi?

LE PASTEUR.—Vivre avec ... la mère de ses enfants?

OSWALD.—Oui ... préféreriez-vous qu'on la repoussât?

LE PASTEUR.—Mais comment se peut-il qu'un homme ou une jeune femme qui ont ... ne fût-ce qu'un peu d'éducation, s'accommodent d'une existence de ce genre, aux yeux de *tout le monde*?

OSWALD.—Eh! que voulez-vous qu'ils fassent? Une jeune fille pauvre.... Il faut beaucoup d'argent pour se marier. Que voulez-vous qu'ils fassent?

LE PASTEUR.—Ce que je veux qu'ils fassent? Je vais vous dire, moi, ce qu'il faut qu'ils fassent. Ils doivent vivre loin l'un de l'autre!

OSWALD.—Ce discours ne vous servirait pas à grand'chose auprès de nous autres, jeunes hommes, passionnés, amoureux.

LE PASTEUR.—Et les autorités qui tolèrent de telles choses, qui les laissent s'accomplir en plein jour! Et cette immoralité s'étale effrontément, elle acquiert, pour ainsi dire, droit de cité!...»

Les pasteurs Manders exaltent la famille. «Elle est la base de l'État,» disent-ils. «Est-ce que la famille n'est pas la base de la société? Un agréable chez soi, des amis fidèles, un petit cercle bien choisi, dans lequel nul élément discordant ne vient apporter le trouble?»

Oui, la famille est un des éléments les plus puissants de la société, mais si la famille antique présentait vraiment une unité sociale, la famille d'aujourd'hui en est moins qu'un reflet faible et pâle: elle n'est plus qu'un centre de corruption.

Le vieux fêtard Werlé, après avoir constitué sa richesse sur les ruines d'Ekdal, après une vie de débauche, cause de la mort de sa femme, a l'idée de régulariser sa fausse position et de se remarier avec Mme Sverby, femme digne de lui sous tous les rapports. Pour éviter les «mauvaises langues et les méchants propos», il fait appel à son fils Grégoire qui vit, solitaire, dans les usines.

GRÉGOIRE.—Ah! c'est comme cela! Madame Sverby étant en jeu, on avait besoin d'un joli tableau de famille dans la maison, quelques scènes attendrissantes entre le père et le fils. La vie de famille!

Quand l'avons-nous menée ici? Jamais, aussi loin que vont mes souvenirs. Mais aujourd'hui il en faut un peu, cela aurait si bonne façon, si l'on pouvait dire qu'entraîné par la piété filiale, le fils est rentré à la maison pour assister aux noces de son vieux père! Que resterait-il de tous ces bruits qui représentent la pauvre défunte succombant aux chagrins et aux souffrances? Pas un écho, le fils les aurait fait évanouir.

WERLÉ.—Grégoire!... Ah! je le vois bien: il n'est personne au monde que tu respectes moins que moi.

GRÉGOIRE.—Je t'ai vu de trop près.

WERLÉ.—Tu m'as vu par les yeux de ta mère.

GRÉGOIRE.—Cette nature confiante était prise dans un filet de perfidies, habitant sous le même toit ... que d'autres femmes ... ses servantes ... sans se douter que son foyer reposait sur un mensonge!

Ton existence m'apparaît, quand je la regarde, comme un champ de carnage jonché de cadavres....

Dans le même drame Hialmar interroge sa femme sur son passé. Elle finit par reconnaître sa liaison avec Werlé, dévoilée à son mari par Grégoire.

HIALMAR.—Comment as-tu pu me cacher une pareille chose?

GINA.—Oui, ça n'est pas bien à moi; j'aurais dû te l'avouer depuis longtemps.

HIALMAR.—Tu aurais dû me le dire tout de suite. Au moins j'aurais su qui tu étais.

GINA.—M'aurais-tu épousée tout de même, dis?

HIALMAR.—Comment peux-tu le supposer?

GINA.—Voilà pourquoi je n'ai rien osé dire. Je ne pouvais pourtant pas faire mon propre malheur!

Telles sont les bases de la famille actuelle: mensonge et corruption; instrument de profit comme pour Gina, pour Stensgard ou instrument de plaisir égoïste comme pour Helmer.

L'homme et la femme souffrent de cet état de choses, mais la femme en souffre davantage. L'homme, dit Bebel, de qui provient le plus souvent le scandale dans le mariage, sait, grâce à sa situation prépondérante, se dédommager ailleurs.

La femme ne peut que bien rarement prendre aussi les chemins de traverse, d'abord parce que s'y lancer est plus dangereux pour elle, en sa qualité de partie prenante, et ensuite parce que chaque pas fait en dehors du mariage lui est compté comme un crime que ni l'homme ni la société ne pardonnent. La femme est obligée de considérer le mariage comme un asile, car en dehors du mariage la société lui fait une situation qui n'a rien d'enviable.

L'intérêt matériel enchaîne l'un à l'autre des êtres humains. L'une des parties devient l'esclave de l'autre et est contrainte, par «devoir conjugal», de se soumettre à ses caresses les plus intimes, qu'elle a peut-être plus en horreur que ses injures et ses mauvais traitements. Un pareil mariage n'est-il pas pire que la prostitution? La prostituée est encore jusqu'à un certain point libre de se soustraire à son honteux métier, elle a le droit de se refuser à vendre ses caresses à un homme qui, pour une raison ou pour une autre, ne lui plaît pas. Mais une femme vendue par le mariage est tenue de subir les caresses de son mari, quand bien même elle a cent raisons de le haïr et de le mépriser.

Considérer la femme comme leur égale répugne aux préjugés des hommes. La femme, pour eux, doit être soumise, obéissante, confinée exclusivement dans son ménage; elle doit comprimer ses pensées, ses aspirations personnelles, dût-elle périr intellectuel-lement de cette situation opprimée. Que de souffrances morales, que de pleurs, de nuits sans sommeil, brisant pour toujours l'organisme de ces pauvres êtres, anéantissant leurs espérances!

Mme Alving est l'une de ces admirables et malheureuses figures. Elle a reçu dans sa jeunesse «quelques renseignements où il ne s'agissait que de devoirs et d'obligations». Pendant vingt ans elle a vécu là-dessus, souffrant silencieusement auprès de son mari malade et débauché. Une seule fois seulement, lasse de vivre auprès d'un fou qu'elle n'aimait pas, elle se précipite chez le jeune pasteur qu'elle aime et dont elle se sent aimée. «Me voici, prends-moi!» «Femme, répond le faux disciple de Jésus, retournez chez celui qui est votre époux devant la loi!»

L'élan qui l'a poussée vers le bonheur et la liberté a été vite réfréné; elle est redevenue la femme austère pour qui la vie est une vallée de larmes et qui ne peut répandre autour d'elle la lumière et la gaîté d'une âme heureuse. Durant vingt ans cette femme admirable eut le courage de cacher à tous les misères de sa vie domestique. «J'ai supporté bien des choses dans cette maison, avoue-t-elle plus tard. Pour retenir mon mari les soirs et les nuits j'ai dû me faire le camarade de ses orgies secrètes. J'ai dû m'attabler avec lui en tête-à-tête, trinquer et boire avec lui, écouter ses insanités, j'ai dû lutter corps à corps avec lui pour le mettre au lit. J'avais mon fils, c'est pour lui que je souffrais tout. Mais lorsque j'ai reçu le dernier outrage, quand j'ai vu dans les bras de mon mari ma propre bonne ... alors....» Alors, elle se révolte, elle veut apprendre à son fils «la vraie vie....» Nora, révoltée également par le mensonge de sa vie conjugale, abandonne tout à fait et la maison et ses enfants....

Et c'est cette famille qui est appelée à former la jeune génération!

«La famille doit être un arbre puissant dont les racines plongent à une grande profondeur dans le sol, tandis que les cimes montent haut vers le ciel et que les branches protectrices couvrent un large espace. Or, elle est réduite à l'état d'un maigre arbuste sans racines, dont le pauvre feuillage est impuissant à donner un abri.»

Les rejetons vigoureux et multipliés ne sortent que d'une famille forte. Ceux qui ont été élevés d'une manière absurde ne peuvent pas élever les autres d'une manière sensée. Une multitude d'aveugles ne donnera jamais un voyant, une réunion de malades ne fera jamais un homme bien portant.

Quand on songe à la jeune génération qui s'élève au sein de ce milieu corrompu et déséquilibré, une douleur, une épouvante, vous étreint l'âme....

CHAPITRE V

LA JEUNE GÉNÉRATION

La décadence, la désorganisation de la famille porte vite ses fruits et la jeune génération trouve le moyen de surpasser ses créateurs et ses maîtres.

L'éducation qu'on lui donne a pour but de fortifier en elle les vues, les aspirations, les idées des a soutiens de la société», et, par là, de perpétuer les mensonges conventionnels. Au foyer domestique ou à l'école, la méthode est toujours la même. «On fait autant de mensonges à l'école qu'à la maison; partout on ne fait que mentir aux enfants.»

Sachant que l'enfant n'est pas sensible aux calculs d'intérêt et de parti, que la pureté de sa jeune âme ne lui permet pas encore de se méfier des maîtres trop complaisants, ces derniers se pressent de remplir son cerveau, sa mémoire de fausses notions et d'idées absurdes.

Transmettre aux enfants leurs maladies physiques et morales ne suffit pas aux parents, ils leur enseignent, dès leur enfance, que le Dieu invisible a tout prévu ici-bas,—la nécessité de la propriété et de la misère, du luxe et de la faim, de l'oisiveté des uns et du travail démesuré des autres. On leur enseigne que tout dans la société est parfait et qu'ils n'ont qu'à continuer l'oeuvre de leurs ancêtres. On détruit en eux tout: la promptitude et la franchise de l'esprit, la puissance de la volonté individuelle, l'intelligence et la conscience virginales.

L'éducation a pour but de tuer dans l'enfant tout germe d'initiative personnelle: on ne lui apprend ni à penser, ni à vouloir, ni à vivre par lui-même. On travaille sur l'enfant, sur l'élève, comme sur une chose, ou comme sur un animal dont on veut dompter les énergies. Et cet état de chose n'est pas particulier à tel ou tel pays, il est général, il est universel.

«Demandez à cent jeunes français, sortant du collège, à quelles carrières ils se destinent; les trois quarts vous répondront qu'ils sont candidats aux fonctions du gouvernement. La plupart ont pour ambition d'entrer dans l'armée, la magistrature, les ministères, l'administration, les finances, les consulats, les ponts et chaussées, les mines, les tabacs, les eaux et forêts, l'université, les bibliothèques et archives, etc., etc. Les professions indépendantes ne se recrutent, en général, que parmi les jeunes gens qui n'ont pas réussi à entrer dans une de ces carrières.»

Dès l'enfance on a tué dans l'homme toute initiative, toute volonté, tout respect pour sa personnalité, pour son individualité. «Les moeurs n'ont guère permis jusqu'à maintenant qu'on respectât l'individualité de l'enfant comme celle d'un égal futur, et peut-être d'un supérieur en développement intellectuel et moral. Rares sont les parents qui voient dans leur fils un être dont les idées et la volonté sont destinées à grandir d'une manière originale, et rare l'instituteur qui ne cherche à dicter aux élèves ses opinions, sa morale particulière, et n'essaie de faciliter sa besogne en imposant l'obéissance.»

Et lorsque plus tard la vie leur dévoile la vraie lumière, leurs âmes sont déjà trop imprégnées d'impressions, d'idées fausses. Ce ne sont pas des hommes, ce sont des machines faites pour être dirigées par un mécanisme extérieur et artificiel. Il faut être fort, il faut porter en soi des germes d'une individualité puissante, pour pouvoir se débarrasser de toutes les erreurs, de tous les mensonges, de toutes les souillures morales qu'on a si soigneusement entretenus en nous pendant nos jeunes années. La majorité constitue cette légion de dégénérés dont Ibsen nous présente quelques types caractéristiques.

Le Dr Raak dans la *Maison de poupée*, Ulrik Brendel dans *Rosmersholm*, Laevborg dans *Hedda Gabler*, Oswald dans les *Revenants*, la bohémienne Gerd dans *Brand*, tous ces êtres ne se dominent guère, maladies héréditaires, folie, ivresse, il y a quelque chose qui les obsède, des souvenirs qui les hantent, des *revenants* dont ils ne peuvent pas se défaire. «Nous sommes tous des revenants. Ce n'est pas seulement le sang de nos père et mère qui coule en nous, c'est encore une espèce d'idée détruite, une sorte de croyance morte, et tout ce qui en résulte. Cela ne vit pas, mais ce n'en est pas moins là, au fond de nous-mêmes et jamais nous ne parvenons à nous en délivrer. Et puis, tous, tant que nous sommes, nous avons une si misérable peur de la lumière!»

«Je vous connais à fond, dit Brand, âmes lâches, esprits inertes! Il vous manque ce battement d'ailes de la volonté, ce frémissement anxieux qui élève les cantiques jusqu'au ciel.» L'esprit morne, le pas traînant, ils s'avancent lourds et fatigués. A leur air sombre, on dirait qu'ils sentent un fouet derrière eux. Leurs fronts portent le voile du vice. Leurs regards plongent dans les ténèbres. C'est l'image du péché, ce n'est plus l'image de Dieu. Qui donc leur criera: «Je sens courir dans mes veines le fleuve brillant de la jeunesse. Vigoureux rejeton, je suis né de l'amour de deux êtres beaux, jeunes, ardents, tandis que toi, fragile créature sans énergie, sans vie, tu es né de l'union morne et glacée de deux êtres liés par un contrat qui ne peut exciter en eux la flamme des sens!»

Ils sont tous malades, physiquement et moralement. «Mon épine dorsale, la pauvre innocente, se plaint le docteur Raak, doit souffrir à cause de la joyeuse vie qu'a menée mon père quand il était lieutenant.»

Oswald, peintre, n'a jamais mené une vie orageuse sous aucun rapport et pourtant «il se sent brisé d'esprit», il ne peut plus travailler, il est comme «un mort-vivant». Il a de très violentes douleurs à la tête, spécialement à l'occiput, comme s'il avait le crâne dans un cercle de fer, de la nuque au sommet. Toute sa force est paralysée, il ne peut pas se concentrer et arriver à des images fixes. Sa maladie s'explique: son père fut alcoolique tout en étant chambellan.

Tous ces êtres sont las, fatigués de vivre, à peine entrés dans la vie. Leur moral est égal à leur physique. «Les désirs, sentiments, passions, qui donnent au caractère son ton fondamental, ont leurs racines dans l'organisme, sont prédéterminés par lui.» Quel abaissement des caractères et de la volonté!

Jamais le sens moral n'eut une voix moins puissante, jamais la conscience ne parla moins dans le monde. La soif des jouissances matérielles paraît avoir étouffé tout sentiment supérieur. La loi du plaisir exclusif engendre fatalement tous les égoïsmes et tarit dans leur source tous les sentiments élevés de l'âme. La dégénérescence des moeurs ne consiste pas seulement dans l'accomplissement des actes immoraux, elle existe aussi dans la *pensée* corrompue, dans l'imagination malade. On ne croit qu'à la force brutale, à l'argent, aux impulsions extérieures; on ne croit plus à la conscience, à la volonté, à l'amitié.

Borckman regrette amèrement de s'être confié à un ami qui l'a trahi. Cette trahison le fait maudire L'amitié: «Savoir tromper, c'est en cela que consiste l'amitié», dit-il.

Et comment en serait-il autrement? *Hoc sentio, nisi in bonis amicitiam esse non posse.* L'amitié réelle ne peut exister que dans le bien. Et le bien leur est étranger! Les larges horizons se rétrécissent, on ne sait plus aimer, on ne connaît même plus les haines vigoureuses, le *caractère* s'efface, le *caractère* disparaît. «Un caractère bien fade est celui de n'en avoir aucun.» On n'a plus le respect de soi-même, il n'y a pas de sentiments généreux, ni dévouement, ni désintéressement.

Cabotins, arrivistes, ils sont envieux, fats, vaniteux, sans principes, sans bases. L'un de ces «jeunes», l'avocat Stensgard, est le type admirable de l'arriviste moderne. Il fonde l'*Union des jeunes* pour combattre le vieux parti politique et particulièrement le vieux chambellan, mais il suffit d'une simple invitation à dîner de la part de celui-ci pour qu'il oublie tous ses discours enflammés, toutes ses promesses, même son désir d'épouser Mlle Monsen, car il s'aperçoit que la fille du chambellan même est beaucoup plus riche et que c'est un parti plus avantageux.

Et lorsqu'il apprend qu'elle est ruinée et que Mlle Monsen ne veut plus de lui, il se décide à épouser — également trop tard — une riche aubergiste, à laquelle, étant très prévoyant, il faisait aussi une cour assidue.

On fonde des Unions, des Cercles, des Ecoles, des Ligues, pour mieux masquer, dans l'anonymat, le vide de ceux qui s'y réfugient. Que de nullités peuvent abriter des noms pompeux comme *Union des jeunes*! Toute leur morale, c'est celle du succès. *Honesta quaedam scelera successus facit.*

Et dès qu'un esprit indépendant s'éloigne de ces *Unions* pour ne suivre qu'un chemin droit et librement choisi, les médisances, les calomnies, les perfidies, les hostilités basses, les intrigues le poursuivent de toutes parts.

Seuls, les forts continuent le combat, n'écoutent que la voix de leur conscience, sans se laisser décourager, et ne prêtent qu'un sourire de pitié aux parasites, qui en médisent. Les autres, les faibles, perdent leur foi en eux-mêmes et tombent empoisonnés.

La véritable valeur morale n'a besoin ni d'insignes, ni d'écoles, ni de ligues pour se révéler, elle se trahit, même quand on la cache, comme la misère morale se trahit même quand on la dissimule. Pratiques jusqu'à l'excès, les «jeunes» d'aujourd'hui ne font que prostituer chaque jour les forces de leurs pensées et de leurs affections. Le champ de leurs exploits est la vie dite mondaine dont la haute science consiste pour eux dans l'art de laisser deviner avec élégance les mérites qu'ils n'ont pas. Et ils plaisent....

On plaît souvent plus par ses défauts que par ses qualités. Toute leur phraséologie, tous leurs beaux discours ne servent qu'à eux-mêmes, à leur carrière. Ce qu'ils cherchent, c'est à jeter de la poudre aux yeux, c'est à faire quelque chose. Peu importe ce qu'on fait—jouer aux courses ou fonder des *Unions*—l'essentiel est de faire. «Du haut en bas, si l'on nous prend tous en bloc, on peut nous appeler une race de faiseurs,» dit le maître d'école dans *Brand*.

La seule, la vraie Union de tous ces êtres atteints d'anémie morale, le seul point sur lequel ils sont tous d'accord, c'est *l'argent*, cause de lâchetés, de suicides, de la démoralisation, de toutes les horreurs. «L'argent est un maître abominable, il ne doit être que le serviteur.»

Ce maître abominable règne aujourd'hui en toute liberté, et sa domination est un des caractères saillants de notre société. Le nom de ce métal a pris dans la vie sociale une signification qui fait de lui le maître de la vie. L'argent a supprimé le travail individuel, il pervertit celui dont le coeur était pur, le rend égoïste, incapable de nobles élans d'âmes, il divise la famille, il pousse le jeune homme à épouser non pas celle qu'il aime mais celle qui est riche, il pousse la mère à sacrifier le bonheur de sa fille en la donnant au plus riche épouseur. Aucune branche de la société n'échappe à l'adoration universelle de la Bête d'Or: «Jeunes mariés dont les rêves d'amour sont des rêves dorés et qui avouent sans vergogne qu'ils aiment non pas telle ou telle personne, mais telle ou telle dot, comme si la famille n'avait d'autre but que d'unir et de procréer des sacs d'écus; époux, dont la crainte de diminuer leur bien-être arrête les élans de la passion; financiers qui, froidement, par leurs coups de bourse, prennent l'épargne de pauvres gens, les condamnent à la misère, préparent leurs suicides, mais dont on exalte le bon coeur parce qu'ils donnent quelques francs dans une souscription publique, bourgeois qui vivent chichement, se refusant tout plaisir, afin d'entasser quelques pièces d'or de plus; rentiers dont l'existence se passe à toucher les intérêts, à les mettre de côté, à en toucher de nouveaux, à supputer les chances de hausse ou de baisse et dont la pensée rabougrie ne s'élève pas au-dessus de cet étroit horizon; écrivains qui, sous couleur d'art, débitent des romans pornographiques, afin de réaliser de plus gros bénéfices; magistrats condamnant sans pitié de pauvres malheureux qui ont «tondu un pré de la largeur de leur langue», mais pleins d'indulgence pour les agioteurs ayant dérobé des millions et dont l'appui leur paraît promettre des jours fortunés; politiciens dont l'hostilité se laisse attendrir à propos, quand il s'agit de questions dans lesquelles se trouvent intéressées de puissantes sociétés financières; catholiques, protestants, juifs, tous, se roulant aux pieds du Veau d'or, attendent de lui un sourire.» Il faut leur crier leurs vérités en face, à tous ces inutiles, à l'intelligence vide, au coeur sec, infatués d'eux-mêmes, orgueilleux sans grandeur, égoïstes sans esprit, traînant à la remorque de leurs passions une existence factice et déprimante, sans but, sans volonté, sans idéal, sans foi!

Le luxe immédiat est le souverain bien, l'argent est la seule idole de ces humains dits civilisés. Les parlements, les chancelleries, les rédactions, sont des succursales de la Bourse. L'argent mène la religion, l'argent mène la politique, l'argent mène la presse, l'argent mène la famille, l'argent mène tout et tous. Toute leur volonté étant dirigée vers l'argent, il ne leur en reste rien pour la vie. Ils n'ont même pas la volonté d'être heureux. «Êtres incomplets, ils n'ont que le désir, sans avoir la pensée; ils imaginent, mais ils ne savent point vouloir.»

Dans *la Comédie de l'amour*, le poète Falk et Svanhild se déclarent leur amour.

FALK.—Dans ma barque naviguant vers l'avenir, il y a place pour deux. Si vous avez du courage, marchons côte à côte dans le combat. Côte à côte nous marcherons et notre existence sera un long cantique d'adoration et d'actions de grâce.

SVANHILD.—La lutte est facile quand on est deux à combattre et que l'un des combattants est un homme vaillant.

FALK. — Et que l'autre est une femme généreuse; il est impossible que deux êtres semblables succombent.

SVANHILD. — Prends-moi donc tout entière. Les fleurs s'épanouissent, mon printemps est venu. Et maintenant, luttons contre la misère et la douleur!

Croyez-vous que Falk et Svanhild tenteront le bonheur? Point. Un négociant leur fait comprendre que si

«L'honneur sans argent n'est qu'une maladie.»

l'amour sans écus est une folie. L'amour disparaît, la position demeure. Et les jeunes gens se séparent. Svanhild épouse le riche négociant qui lui a découvert le sens de la vie; quant à Falk, il se met, je crois, à étudier la théologie. Ils prennent pour prétexte de leur séparation le désir de rester en plein rêve et de ne pas voir *sombrer* sous les coups de la réalité les splendeurs de leur songe, mais le fait est qu'ils brisent leur bonheur, ils le brisent eux-mêmes de leurs propres mains. Et la cause? Leur volonté est abolie. Ils n'ont pas de volonté d'agir, de tenter le bonheur.

Gina, la femme de Hialmar, est l'ancienne maîtresse de Werlé, riche industrie. Hialmar, confiant, ignore qu'il y a de la boue à l'origine de son mariage, et que son foyer repose sur un mensonge. Le fils de Werlé, Grégoire, ancien ami de Hialmar, atteint d'une maladie qu'un des personnages de la pièce désigne sous le nom de «fièvre de justice aiguë», se décide à apprendre au mari le passé de sa femme. «Hialmar, connaissant la faute de Gina, pourra la lui pardonner; il n'y aura plus de mensonge entre eux, ils seront parfaitement heureux, et leur bonheur, fondé sur la vérité, sera solide autant qu'ineffable.»

Après l'explication entre les époux, Grégoire entre, leur tendant les mains:

GRÉGOIRE. — Eh bien, mes chers amis, est-ce fait?

HIALMAR. — C'est fait. J'ai vécu l'heure la plus amère de ma vie,

GRÉGOIRE. — Mais aussi la plus pure, n'est-ce pas?

HIALMAR. — Enfin, pour le moment c'est fini.

GINA. — Que Dieu vous pardonne, monsieur Werlé!

GRÉGOIRE (avec un profond étonnement). — Je n'y comprends rien.

HIALMAR. — Qu'est-ce que tu ne comprends pas?

GRÉGOIRE. — Cette grande liquidation qui devait servir de point de départ à une existence nouvelle, à une vie, à une communauté basée sur la vérité délivrée de tout mensonge?

HIALMAR. — Je sais, je sais très bien.

GRÉGOIRE. — J'étais si intimement persuadé qu'à mon entrée je serais frappé par une lumière de transfiguration illuminant l'époux et l'épouse. Et voici que devant moi tout est morne, sombre, triste.

Ils n'ont même pas le courage de leur rénovation! La moindre lutte morale brise ces malades. «L'état physique de l'individu doit être en rapport avec ce qu'il aura à supporter, sans cela une émotion contraire serait un obstacle fatal.» Tout leur tapage étourdissant n'est fait que pour cacher la faiblesse de leurs convictions, de leur foi. «Le doute et le trouble sont dans toutes les âmes; la défiance est dans tous les esprits.» Le doute pénètre partout, il porte le découragement; jusqu'au fond de l'être, là où se puisent les grands élans, là où l'homme entend la voix mystérieuse et puissante qui le sollicite à être lui-même. Il vaut mieux que l'âme humaine se berce de rêves; chimériques en s'avançant toujours que de végéter dans l'inaction et le doute. Si le doute amène les âmes fortes vers la lumière, il anéantit complètement les faibles, les dégénérés, les infirmes moraux, les déformés par la société. La folie du doute perpétuel n'est que l'exagération de cette perplexité continuelle qui amène les hommes à ne plus oser rien faire, rien désirer, rien vouloir, rien tenter. Pascal a dit quelque part que «le dessein de Dieu sur nous est plus de perfectionner la volonté que l'esprit». Vérité, hélas, trop oubliée de nos jours. Les meilleurs esprits n'osent pas seulement agir, ils n'osent rien affirmer, rien nier, rien vouloir avec énergie.

Le doute porte sur tout. Même ceux qui aspirent vers quelque chose de supérieur, vers la liberté, vers la lumière «qui pensent et croient ne veulent pas s'en rendre compte, ne veulent pas s'y arrêter». Dans un moment de crise, ils crient comme Oswald: «Le soleil!... Le soleil!...» et ils ne font rien pour dissiper les ténèbres où ils végètent!

«Vous voulez bien croire un peu, mais sans y regarder de trop près, et faire peser tout le fardeau sur celui qui, vous a-t-on dit, s'est chargé de l'expiation. Puisqu'il s'est laissé couronner d'épines pour vous, il ne vous reste plus qu'à danser. Mais il s'agit de savoir où cette danse vous mène.» Ce ne sont pas eux qui régénéreront l'humanité. «Les dégénérés ne changent pas l'histoire; ils la subissent.» L'avenir n'est pas à eux. L'avenir est à ceux qui sont désabusés.

CHAPITRE VI

GERMES TRANSITIFS

Si l'anthropologie moderne a prouvé la transmission des vices et des maladies par les parents à leurs enfants, la psychologie n'a pas moins démontré que parmi la médiocrité des êtres apparaissent quelques individus mieux doués qui, après avoir traversé une période d'évolution et de crise, triomphent, deviennent des types plus parfaits et obtiennent de nouvelles victoires et de nouveaux progrès. «L'humanité, en se débattant dans une lutte séculaire pour améliorer ses institutions sociales, atteint involontairement à quelque chose de bien différent et de bien plus grand: sa propre réforme, l'ennoblissement de son caractère moral, le couronnement de l'évolution biologique grâce à la création d'un type plus élevé et plus pur.»

Ces êtres souffrent dans la société actuelle, leurs droits sont méconnus. Ces âmes étouffent sous le poids des préjugés et des mensonges, elles ne peuvent aisément s'enlever et prendre leur vol; elles n'ont ni liberté, ni indépendance pour assurer leur existence, elles doivent s'incliner sous la volonté des seigneurs de la finance, de la politique, de la pensée. «Le manque d'oxygène affaiblit la conscience, et l'oxygène manque presque absolument dans notre société, puisque toute la majorité compacte est assez dénuée de sens moral pour ne pas vouloir comprendre que l'on n'édifie rien sur une fondrière de mensonge et de fourberie.»

«On étouffe ici, dit Brand; un air de sépulcre s'élève de cet étroit vallon. En vain on y déploierait un drapeau, aucun souffle frais et libre ne le ferait flotter. «Tout ce qu'il y a de bon au fond des hommes sera étouffé si on laisse subsister cet état de choses. Mais cela ne doit pas durer! Oh! quel bonheur ce serait, quel bonheur de pouvoir apporter un peu de lumière dans cet abîme de ténèbres et de méchanceté.

«Si j'avais le pouvoir, se lamente Rosmer, de leur faire avouer leurs torts, de réveiller la honte et le repentir dans leurs coeurs, de les amener à se rapprocher de leurs semblables avec confiance, avec amour! Il me semble qu'on pourrait y arriver. Que la vie deviendrait belle alors! Plus de combats haineux, rien que des luttes d'émulation, tous les regards fixés sur un même but, toutes les volontés, tous les esprits tendant sans cesse plus loin, toujours plus haut, chacun suivant le chemin qui convient à son individualité. Du bonheur pour tous, créé par tous.»

La corruption des moeurs, la dégradation actuelle de la société n'est que le signe d'une nécessité absolue de sa transformation morale. De tous côtés s'élève une plainte immense qui monte confuse. Au sein de l'ivresse générale, du bien-être, de jouissances innombrables; au sein de cet énervement, de ce mal qui ronge, on entend le bruit du réveil, le murmure des volontés et des espérances.

Des idées nouvelles germent partout, elles cherchent à se faire jour, à trouver une application dans la vie, mais elles se heurtent continuellement à la force d'inertie de ceux qui ont intérêt à maintenir le régime actuel, elles étouffent dans l'atmosphère suffocante des anciens préjugés et des traditions. Les idées reçues sur la constitution des États, sur les lois de l'équilibre social, sur les relations politiques et économiques des citoyens entre eux, ne tiennent plus devant la critique sévère qui les sape chaque jour, à chaque occasion, dans le salon comme au cabaret, dans les ouvrages du philosophe comme dans la conversation quotidienne.

«Les institutions politiques, économiques et sociales tombent en ruines; elles gênent, elles empêchent le développement des germes qui se produisent dans leurs murs lézardés et naissent autour d'elles. Un besoin de vie nouvelle se fait sentir. Le code de moralité établie, celui qui gouverne la plupart des hommes dans leur vie quotidienne, ne paraît plus suffisant. On s'aperçoit que telle chose, considérée auparavant comme équitable n'est qu'une criante injustice; la moralité d'hier est reconnue aujourd'hui comme étant d'une immoralité révoltante. Le conflit entre les idées nouvelles et les vieilles traditions éclate dans toutes les classes, de la société, dans tous les milieux, jusque dans le sein de la famille.»

Et c'est le réveil. On a beau vouloir arrêter le courant: on n'a pas la force de le détourner. Le courant suit son chemin, marche à l'accomplissement de sa mission, dissipant l'atmosphère étouffante qui l'environne. Il faut changer cette atmosphère sépulcrale. Il faut qu'un beau soleil entre ici.

«Que venez-vous faire dans notre société? demande Rorlund à Lona, qui revient d'Amérique.

— Lui donner de l'air, monsieur le pasteur! lui répond celle-ci. Mais lorsqu'un édifice est resté trop longtemps fermé, on a de la peine à l'aérer, les fenêtres ne s'ouvrent pas facilement, souvent même on est obligé de les briser....

— Que voulez-vous édifier?

— Édifier? Il s'agit d'abord de démolir.»

«Et cela n'a aucune importance, dit Stockmann, qu'une société mensongère soit démolie! Il faut l'anéantir, il faut faire disparaître, comme des animaux nuisibles, tous ceux qui vivent dans le mensonge. J'aime tant ma ville natale, ajoute-t-il, que je préférerais la ruiner que de la voir prospérer sur un mensonge.»

Mais on ne détruit que ce qu'on remplace. «Si les vieux mots sont usés, il ne faut pas les enlever de la langue avant d'en avoir créé d'autres.»

Dans les pages qui vont suivre nous chercherons les mots que les personnages d'Ibsen substituent à ceux qu'ils veulent enlever de la langue actuelle; nous chercherons à déterminer les bases sur lesquelles ils comptent édifier la Société nouvelle. Car toute phase sociale est poussée par une phase future qui se prépare à la remplacer. C'est la loi de l'évolution universelle de tous les phénomènes: physiques, moraux et sociaux. La société actuelle doit céder sa place à une société nouvelle, sinon la loi d'évolution se trouverait suspendue, hypothèse anti-scientifique. Si l'évolution condamne toute transformation arbitraire, elle condamne aussi toute immobilité, toute inertie; loin d'exclure la possibilité des réformes pacifiques, elle ne veut pas laisser l'humanité s'endormir, elle l'engage à l'activité consciente, à la marche vers une ère nouvelle.

— Ils ont eu leur aurore, — dit Brand au seuil de l'Église nouvelle qu'il a fait construire, — pourquoi ne verraient-ils pas leur déclin? L'ordre universel veut de la place pour les formes à naître.... Ce qui ne périt pas, c'est l'esprit incréé, c'est l'âme, dissoute dans l'éclosion printanière du monde, l'âme qui, d'audace et de foi virile, a construit une arche allant de la matière à la source de l'être. Cette âme est maintenant partagée en petites portions qui se débitent en détail.

De cette mutilation, de ces tronçons d'âme, de ces membres détachés, épars, il faut qu'*un tout* surgisse.... Hommes, vous êtes au croisement des chemins! Avec votre volonté entière, vous devez vouloir le nouveau, l'anéantissement de toutes les constructions pourries, pour que le grand sanctuaire ait la place qui lui revient....

PARTIE POSITIVE
LA SOCIÉTÉ NOUVELLE

CHAPITRE PREMIER

LA RÉGÉNÉRATION INDIVIDUELLE ET SOCIALE EST POSSIBLE, L'AMOUR EN EST LA PREMIÈRE BASE

«Qui n'a pas été renversé une fois dans sa vie! Il faut se relever et ne faire semblant de rien. Seuls le présent d'un homme et son avenir peuvent racheter son passé.»

Borckman, qui dit ces paroles, semble indiquer par là que la rénovation est possible, qu'il n'est jamais tard de renaître, mais que seuls le présent et l'avenir sont capables de racheter le passé. Des hommes forts et intelligents peuvent toujours réagir et se refuser à être plus longtemps serfs du mensonge. Mais non seulement l'homme est perfectible, la société l'est aussi. «Si quelque esclave de ce monde fait une brèche au grand capital humain, un autre, par son travail, peut toujours réparer le dommage.» Un individu, comme une nation, peut se tromper, s'égarer, mais aussi le reconnaître, se repentir et réparer le mal.

Ibsen ne se contente pas de faire exprimer à ses héros l'idée de la possibilité de la régénération morale de l'individu et de la société, il leur fait indiquer la base même de cette rénovation: l'Amour.

«Notre coeur est ce jeune univers créé pour recevoir l'esprit divin. C'est là qu'il faut tuer le vautour de la convoitise. C'est là que le nouvel Adam doit naître.»

C'est grâce à l'Amour de Lona que Bernick se repent, avoue à tous ses torts et commence une vie nouvelle. Mais c'est surtout *Peer Gynt* qui nous offre la démonstration éclatante que l'Amour est le premier jalon de tout relèvement moral.

Peer Gynt, après avoir gâché sa vie dans bien des aventures, revient, tête blanche, dans son pays natal où, dans sa jeunesse, il fut aimé par une jeune fille, Solveig. Il éprouve des remords d'avoir toujours fui la voie droite, la vie sérieuse. La nuit vient; il court dans la forêt où il connut, dans son enfance, des heures délicieuses, et il lui semble entendre autour de lui des voix s'élever: des bobines de fil qui roulent à ses pieds murmurent: «Nous sommes des questions que tu devais résoudre»; le vent gémit: «Nous sommes des chants que tu devais chanter»; et des gouttes de rosée tombent des branches en soupirant: «Nous sommes des larmes que tu n'as pas répandues»; et des brins de paille lui disent: «Nous sommes les oeuvres que tu devais accomplir, nous sommes les forces que tu n'as pas voulu aimer.»

Peer Gynt veut se persuader qu'en gâchant sa vie, il est resté *lui-même*, qu'il a vécu suivant son *moi*, mais le vide qui se fait autour de lui, lui prouve qu'il n'a été qu'un égoïste. Peer Gynt est seul. Sa conscience se réveille. «Terre splendide, prie-t-il, ne t'offense pas parce que j'ai foulé ton herbe inutilement! Soleil magnifique, tu as versé tes rayons sur une hutte inhabitée—le propriétaire n'était jamais chez lui.... Oh! je veux monter jusqu'au plus haut sommet, je veux voir encore une fois le soleil se lever, je veux contempler la terre promise....»

Il arrive devant la maison de Solveig au moment où celle-ci, vieillie, sort de la hutte, un bâton et un livre de cantiques à la main.

PEER GYNT.—Un pécheur est devant toi. A toi de le juger.

SOLVEIG.—C'est lui. Loué soit Dieu!

PEER GYNT.—Accuse-moi, dis combien j'ai péché envers toi!

SOLVEIG.—Tu n'as commis aucun péché!

PEER GYNT.—Dis-moi mon crime.

SOLVEIG.—Tu as fait de ma vie un poème. Bénie soit notre rencontre! Le vrai Peer Gynt qui avait au front un sceau le marquant pour une haute destinée, a vécu dans ma conscience, dans mon espoir, dans mon amour!

Une clarté illumine la figure de Peer Gynt. Il pose sa tête sur les genoux de Solveig qui chante: «Dors, mon ami, je te bercerai, je te veillerai ... dors et rêve!» Solveig chante et le soleil se lève....

«Faire un homme heureux, c'est mériter de l'être», dit Jean-Jacques. Dans *Peer Gynt*, Ibsen prouve que l'homme, apte à faire jaillir de son coeur dans celui d'un autre être humain les rayons ardents de l'amour, est capable de se relever moralement. L'amour, c'est le soleil qui vivifie; il ennoblit, il régénère. «L'amour possède une force surhumaine qui élève au-dessus de la fange de la vie quotidienne, et le fait briller de toute sa magnificence aux yeux de tous.»

C'est la richesse du coeur qui seule donne du prix aux richesses de toutes nos facultés; même la science n'est vivante et complète que par l'amour. Les hommes ne font rien avec une idée, quand un sentiment ne s'y joint pas. On regrette moins d'avoir eu du coeur que de l'esprit.

L'amour féconde, agrandit et élève toutes les facultés intellectuelles et morales. Par lui le sentiment proprement dit, qui n'est d'abord que le produit d'une sensation, devient affectif, manifeste des préférences, éveille l'activité et agit ainsi sur la volonté avec une puissance de plus en plus grande. Que de crimes seraient évités si nous étions entourés de plus de sympathie, si la solidarité était plus chaude et plus réconfortante! C'est ce manque de fraternité et d'amour qui rend la lutte pour la vie si terrible et si acharnée. Sans amour tout changement du régime actuel ne sera qu'une substitution d'une classe à une autre, un changement de noms pour les maux qui demeurent.

Le mal de l'humanité ne vient pas de la nature, il vient, il grandit parce que les hommes ne savent plus aimer. Aucun mécanisme ne donnera à l'humanité le bonheur, si elle ne veut pas comprendre qu'il y a ici-bas un moyen capable d'adoucir toutes les misères et toutes les souffrances, et c'est l'Amour. L'être humain à l'instant où bat son coeur, se transfigure et s'illumine comme une aurore.

Seul l'amour établit une harmonie entre les individus. Cette harmonie peut être aperçue par l'intelligence, mais elle n'est sentie et réalisée que par le coeur. L'amour est l'intelligence descendue dans les fonds mêmes de l'âme. L'intelligence qui n'arrive point à l'amour, à la volonté, manque de puissance pour le développement de la vérité, elle n'en atteint point la vaste et sublime profondeur. La science, les lois, les institutions les plus sages, sont une lettre morte que l'amour seul peut transformer en parole vivante. C'est que l'intelligence n'est que le reflet du foyer d'amour, et à mesure que le foyer est plus actif, la lumière est plus vive. Des plus intimes profondeurs de l'amour jaillit la lumière de l'intelligence. Le génie, l'héroïsme, la morale, sont dus à l'amour, c'est par amour qu'il peut être compris, c'est par amour qu'il peut être régénéré, car l'amour seul crée l'amour.

CHAPITRE II

LA VERITE ET LA LUMIERE

«Un homme est condamné dans son oeuvre, s'il fait les choses à demi et ne songe qu'aux apparences, s'il ne traduit pas ses idées par des actes et non seulement par des paroles ou des sentiments.»

Cela veut dire: parler est bien, agir est mieux. Une société ne se bâtit pas avec des mots, des sentiments ou des idées, elle ne se compose pas d'abstractions, mais d'hommes en chair et en os, qui, même pour aimer, se posent toujours la question de Faust: «Par où commencer?»

Par où doit-il commencer, l'individu qui désire s'affranchir des servitudes sociales et devenir un être libre et conscient? «Par briser la chaîne des moeurs et des coutumes», répond Falk dans la *Comédie de l'Amour*. Plus de mensonges, plus d'hypocrisies, plus de conventions fausses. C'est la philosophie du *Canard Sauvage*. Les critiques qui prétendent qu'Ibsen a voulu dire dans cette pièce: «N'enlevez pas le mensonge au vulgaire, vous lui enlèveriez le bonheur en même temps», n'ont pas saisi l'esprit de l'oeuvre du penseur norvégien. L'idée fondamentale du *Canard Sauvage* est celle-ci: «Il vaut mieux détruire le bonheur que de le laisser subsister sur un mensonge.»

L'esprit puissant de l'auteur de *Brand* a parfaitement compris quel rôle considérable, prépondérant et néfaste, les préjugés et les mensonges jouent dans la société actuelle. Son théâtre est un cri de révolte contre cet état de choses. Malgré les progrès de la civilisation, malgré la diffusion de plus en plus grande des lumières scientifiques, le préjugé et le mensonge règnent encore en maîtres dans la société. Ils s'exercent de tous côtés. Il y a des préjugés de religions, des préjugés de nations, de classes, de conditions sociales. Il suffit qu'un de nos semblables appartienne à telle classe, à telle famille, à telle corporation, pour qu'on lui attribue d'avance tel défaut, tel travers.

Et ce qu'il y a de plus déplorable dans ces erreurs de jugement, c'est que nul ne peut s'en déclarer absolument exempt.

Le mensonge suppose un désordre dans la vie. Si l'on était ce qu'on devrait être, on n'éprouverait nullement le besoin de dissimuler ce qu'on est. Ah! les préjugés et les mensonges! ce sont eux qui causent tous les malheurs de ce monde!

On peut tromper non seulement les autres, mais soi-même, et non pas par erreur, mais volontairement. Il faut distinguer le mensonge de l'erreur. L'erreur est inconsciente, tandis que le mensonge sait ce qu'il fait quand il abuse les autres. «On peut nuire à la vérité sans mentir, lorsqu'on ignore l'inexactitude qu'on commet; on peut dire une chose vraie en mentant, lorsque, la croyant fausse, on cherche à égarer le prochain par caprice ou dans un but égoïste.» L'intention positive de tromper est le trait caractéristique du mensonge. Mentir, c'est abuser les hommes le sachant et le voulant, qu'on le fasse en actes ou en paroles, par le silence ou par d'insidieux discours.

«C'est une chimère de croire que l'esprit aille de lui-même au vrai. L'erreur lui est aussi naturelle que la vérité; il n'est pas bon en sortant des mains de la nature. S'il est fait pour la vérité, il ne l'atteint qu'en la cherchant péniblement; elle est une récompense plutôt qu'un privilège. Il ne peut, s'il pense, éviter l'erreur, et les exigences de la vie, son propre intérêt, les lois mêmes de la morale, exigent qu'il agisse et qu'il pense.

Pourtant, il faut se garder de tomber dans un autre excès; le pessimisme n'est pas plus vrai que l'optimisme, même dans la théorie de la connaissance. *L'erreur peut être corrigée, si elle ne peut être évitée.*»

Le mensonge, lui, peut être évité.

Les hommes, dit Tolstoï, qui ignorent la vérité et qui font le mal, provoquent chez les autres la pitié pour leurs victimes et le dégoût pour eux, ils ne font du mal qu'à ceux qu'ils attaquent; mais les hommes qui connaissent la vérité et qui font le mal sous le masque de l'hypocrisie, le font à eux-mêmes et à leurs victimes, et encore à des milliers d'autres hommes, tentés par le mensonge qui cache le mal.

«Nulle société ne peut vivre sainement en se nourrissant de mensonge.»

«La fin de l'homme est d'être sincère.»

Il faut donc chercher la vérité.

Croire en la Vérité, c'est avoir la foi qui nous permet d'ordonner toutes choses par rapport à elle. Aimer la Vérité, c'est s'y soumettre dans ce qu'elle a d'absolu et d'irrésistible, la rechercher toujours dans l'ordre changeant des circonstances et n'agir jamais que conformément à elle. Si l'amour de la vérité est par lui-même l'expression la plus pure de notre foi, nous devons irrévocablement condamner le mensonge et tout ce qui s'y rapporte. La vérité dans la connaissance des lois morales a déjà supprimé l'iniquité de l'esclavage, les tortures judiciaires, les persécutions barbares; espérons qu'elle élargira toujours ses limites. Toutes les erreurs, tous les symboles qui ont été l'objet du culte des hommes n'ont produit quelque bien que par suite de la parcelle de vérité qu'ils renfermaient. Il faut poursuivre la vérité partout et toujours.

Dans les *Soutiens de la Société*, Dina, voulant aller en Amérique, demande à Johann qui en revient, si les gens de là-bas sont moraux.

JOHANN. — Moraux?

DINA. — C'est-à-dire s'ils sont aussi convenables, aussi honnêtes qu'ici.

JOHANN. — Dans tous les cas, ils ne sont pas aussi mauvais qu'on le pense. N'ayez aucune crainte à ce sujet.

DINA. — Vous ne comprenez pas. Au contraire, je voudrais qu'ils ne fussent pas si nobles et si vertueux.

JOHANN. — Et comment les voudriez-vous?

DINA. — Je voudrais qu'ils fussent ... nature. Nature, franchise, vérité en tout. Végéter dans cette vie pour les bienfaits illusoires de la vie future? — C'est un mensonge qui en engendre bien d'autres.

A force de s'inquiéter de l'avenir on oublie le présent. «Le passé ne nous doit point embarrasser, puisque nous n'avons qu'à avoir regret de nos fautes; mais l'avenir nous doit encore moins toucher, puisqu'il n'est point du tout à notre égard, et que nous n'y arriverons peut-être jamais. Le présent est le seul temps qui est véritablement à nous, et dont nous devons user selon Dieu. C'est là où nos pensées doivent être principalement comptées. Cependant le monde est si inquiet qu'on ne pense jamais à la vie présente et à l'instant où l'on vit, mais à celui où l'on vivra. De sorte qu'on est toujours en état de vivre à l'avenir, et jamais de vivre maintenant.

Notre-Seigneur n'a pas voulu que notre prévoyance s'étendît plus loin que le jour où nous sommes. Ce sont les bornes qu'il faut garder et pour notre salut et pour notre repos.»

«Le *mot futur*, dit Falk, assombrit pour nous le jour lumineux: Notre *prochain* amour!   Notre *future* femme,   notre *seconde* vie!   La préoccupation de cette idée fait un mendiant de l'homme le plus fortuné. Aussi loin que vous regardez devant vous, ce mot enlaidit votre existence en détruisant la joie du moment. Vous ne sauriez vous arrêter un instant tranquillement en votre bonheur sans vous embarquer vers d'autres rives, et ce rivage atteint, vous reposez-vous un instant? Non, il faut vous hâter de fuir, et toujours ainsi jusqu'à la mort.»

Et cela vient du mensonge que nous nous forgeons de notre existence, voulant nous persuader que cette vie n'est rien et que la vie future, la vie d'outre-tombe est tout. «La souffrance ne nous atteint point, car rien ne nous touche en ce monde, sinon le désir d'en sortir.» L'homme, disent ces prêcheurs, doit être tout entier dans l'attente des biens futurs; il ne doit considérer la vie présente que comme un rapide voyage dont la seule importance est de préparer notre éternel avenir. Or, il n'y a qu'une seule vie: celle que nous vivons. «Le bonheur que nous comprenons, nous ne le trouvons qu'ici-bas.» «Il faut chercher la vie, pour la faire passer avant toute chose.»

Il faut vivre, car quand l'esprit commence à peine à s'éveiller, les forces physiques commencent déjà à décliner. Cette heure est à toi, tout le reste est folie!

Il n'y a rien de mystique dans la vie. La vie est une force de vérité et de lumière.

Dans les *Revenants*, Mme Alving discute avec son fils le sentiment filial:

Mme ALVING. — Un enfant ne doit-il pas de l'amour à son père, malgré tout?

OSWALD. — Quand ce père n'a aucun titre à sa reconnaissance? Quand l'enfant ne l'a jamais connu? Et toi, si éclairée sur tout autre point, tu croirais vraiment à ce vieux préjugé?

Mme ALVING. — Il n'y aurait donc là rien qu'un préjugé?

OSWALD.—Oui, tu peux en convenir, mère. C'est une de ces idées courantes que le monde admet sans contrôle. C'est un mensonge.

Et Mme Alving, ne poursuivant que la vérité, finit par être d'accord avec son fils.

L'enfant ne doit pas plus être à la discrétion de l'autorité familiale que l'homme à la discrétion de l'autorité gouvernementale. Il faut à l'enfant, comme au chêne, pour croître et devenir homme dans son individualité forte, l'espace et la liberté.

Dans la *Maison de Poupée*, Nora apprend que la société a le droit romain, le droit international, le droit administratif, le droit policier, et que seul le Droit humain lui manque; elle, qui considérait la justice comme un sentiment qui fait partie intégrante de notre âme, elle apprend que la justice n'est qu'une fiction, une loi créée par la société pour garantir ses mensonges et que c'est la loi qui crée souvent le délit,—et elle déclare nettement que «ce sont de bien mauvaises lois».

NORA.—J'apprends que les lois ne sont pas ce que je croyais; mais que ces lois soient justes, c'est ce qui ne peut m'entrer dans la tête.

HELMER.—Tu parles en enfant: tu ne comprends rien à la société dont tu fais partie.

NORA.—Non, je n'y comprends rien. Mais je veux y arriver et m'assurer qui des deux a raison, de la société ou de moi.

Et Nora quitte le foyer domestique, elle ne veut plus accepter aucune idée toute faite sans l'avoir examinée, elle s'en va chercher la vérité, la lumière.

Lorsque le docteur Stockmann est déclaré ennemi de la société pour lui avoir voulu du bien, il ne se rend pas aux mensonges du milieu qui l'environne, mais, fort dans la vérité, il le quitte, il l'abandonne, il s'isole, il reste seul. Partout où il y a lutte entre les «soutiens de la société» et les indépendants, Ibsen prend toujours parti pour ces derniers. Apôtre du «moi individuel», il semble nous dire: Pour changer la société, il faut commencer par l'individu.

L'individu qui désire reconquérir la totalité de sa personnalité originale, doit se soustraire plus ou moins complètement à l'influence générale, s'isoler du groupe social, redevenir lui-même, abandonner toutes les conventions mensongères, rechercher la vérité et la lumière, reconquérir sa puissance, sa force individuelle, qu'il mettra plus tard au service de la société.

Nora et Stockmann peuvent devenir les membres les plus éclairés et les plus dévoués de la société. «Les affections sociales ne se développent en nous qu'avec nos lumières.»

C'est surtout dans *Brand* que s'exprime la puissance morale de l'individu.

CHAPITRE III

L'EFFORT INDIVIDUEL LA VOLONTÉ, L'ACTION, LA LIBERTÉ, LA JUSTICE

I

Brand, c'est la conception, vivante que la question sociale est avant tout une question de force, de volonté, d'énergie, de lumière et de morale individuelles.

On n'a le droit d'accuser qui que ce soit qu'après s'être jugé soi-même, de dresser le bilan de la société qu'après avoir dressé celui de sa propre vie. Brand, après avoir fait son examen de conscience, rejette les mensonges dans lesquels il a été élevé, il devient *lui-même* et n'écoutant que la voix impérative de sa conscience, il se met à régénérer les âmes des autres.

Il n'accepte aucun compromis. Il refuse les derniers sacrements à sa mère, qui a toujours servi deux maîtres: Dieu et Mammon. Il sacrifie son enfant unique à qui il faudrait le soleil du midi. Il perd sa mère, il perd son enfant, sa femme, et il poursuit toujours sa tâche de réformateur; il fait construire une *Eglise nouvelle*, mais le jour de son inauguration il découvre qu'il va remplacer l'ancien mensonge par un mensonge nouveau ... il jette à la mer les clefs de l'église, il entraîne le peuple dans les montagnes, vers la Nature....

On pourrait peut-être reprocher à Brand de refouler en lui les attaches les plus chères, si nous ne savions que «certains hommes ont le droit, non pas officiellement, mais par eux-mêmes, d'autoriser leur conscience à franchir certains obstacles, dans le cas seulement où l'exige la réalisation de leur idée. Tous ceux qui s'élèvent tant soit peu au-dessus du niveau commun, qui sont capables de dire quelque chose de nouveau, doivent, en vertu de leur nature propre, être nécessairement des criminels,—plus ou moins, bien entendu. Autrement il leur serait difficile de sortir de l'ornière; quant à y rester, ils ne peuvent certainement pas y consentir et leur devoir même le leur défend.»

Accablé par la responsabilité de la mission qu'il a juré d'accomplir, Brand ne voit qu'une chose: le but sacré auquel il doit aboutir. Le but lui fait oublier sa propre douleur, car celui qui dit: «On ne possède éternellement que ce qu'on a perdu» souffre cruellement. Et cette souffrance est d'autant plus grande que Brand jouit d'une vaste intelligence par laquelle il embrasse les dangers du champ de bataille où il veut combattre. «La douleur est une fonction intellectuelle, d'autant plus parfaite que l'intelligence est plus développée.»

Ibsen qui connaît la grandeur de la souffrance humaine, fait dire à Rébecca que la douleur n'endurcit pas, mais ennoblit le caractère.

ROSMER. — C'est la joie qui ennoblit l'esprit.

RÉBECCA. — Et la douleur aussi, ne crois-tu pas? La grande douleur?

ROSMER. — Oui, quand on peut la traverser, la surmonter, la vaincre.

C'est dans la douleur morale que les âmes fortes puisent leur consolation, leurs forces, leurs vertus. La grandeur et la beauté des âmes sont graduées sur la douleur. Ceux qui ont sur le front la flamme du génie ont connu le baiser divin de la douleur. A mesure qu'on descend l'échelle de la vie, le rire inconscient augmente; à mesure qu'on monte, on voit régner la beauté grave de la douleur. Elle embellit l'image de l'homme, elle grandit son coeur, elle élève sa pensée.

Ceux qui ne savent que se plaindre et gémir ne connaissent point la souffrance; la vraie douleur est discrète, c'est dans le silence qu'elle s'épanouit, c'est dans la solitude qu'elle se transforme en Force. Celui qui porte en lui une capacité infinie de souffrir, ne connaît jamais le désespoir; c'est la pénétrante lumière de la douleur qui lui éclaire le chemin de la vie. La douleur n'est pas une humiliation; comme l'amour, elle est le tressaillement des âmes fortes, des esprits intelligents. Si l'amour ne va jamais sans douleur, la douleur engendre toujours l'amour. L'amour et la douleur enseignent la bonté, la tendresse, la grâce; si l'amour purifie, la douleur morale rend l'homme meilleur. «De même qu'une oreille musicale est nécessaire pour partager le plaisir que procure la musique, de même la sympathie pour la douleur d'autrui ne peut naître que chez celui qui a éprouvé la douleur.»

Les âmes fortes et viriles portent en elles un trésor inépuisable d'amour et de douleur. L'amour et la douleur ont illuminé l'âme de Brand. Brand souffre, mais il cache ses douleurs, il ne cherche pas de consolation. Il est doux, par moments, d'être consolé par une âme tendre, mais personne n'aime à consoler. Pour consoler, il faut avoir beaucoup de coeur. Ne cherchons point de consolation, ne nous appesantissons jamais sur nos propres tristesses: la douleur discrète prépare aux nobles causes, elle sacre ceux qui savent souffrir silencieusement.

Ni les imbécillités rieuses, ni les flétrissures, ne font courber le front des Brand. On devient peut-être un peu dur, mais les Brand ne sont pas des hommes aimables. Etre aimable est facile à ceux qui se plient volontiers, par nonchalance ou par calcul égoïste, aux travers, aux erreurs, aux mensonges du monde. Ce qui importe, avant d'être aimable, c'est d'être vrai, d'être juste, soi-même, c'est d'avoir du caractère.

Brand est rude et souvent dur: il comprend que celui qui donne beaucoup, a aussi le droit de demander autant. Brand sacrifie son bonheur et sa vie, et il peut dire: «Qui ne sacrifie pas tout, jette son offrande à la mer.» Une loi supérieure de justice, inscrite au fond du coeur de l'homme, lui fait sentir que lorsque le sacrifice est exigible d'un côté, il doit en être de même du côté opposé. Brand nous prouve que c'est dans la volonté du sacrifice conscient que gît la force qui ressuscite. Brand demande *Tout ou Rien*. «Si tu donnais tout en réservant ta vie, sache que tu n'aurais rien donné.» Et il ajoute amèrement: La vie! la vie! quel prix ce bon peuple y attache. Il n'y a pas d'infirme qui ne tienne à l'existence comme si le salut du monde et des âmes reposait sur ses chétives épaules!

Lorsqu'on demande à Brand: Combien durera la lutte? — il répond: Elle durera jusqu'à votre dernier jour, jusqu'au sacrifice suprême, jusqu'à ce que vous soyez libres de compromis, maîtres de votre volonté entière, et que vous n'hésitiez plus lâchement devant cet ordre: *tout ou rien!* Quelles seront vos pertes? tous vos désirs, toutes les réserves que vous apportez au serment solennel; toutes les chaînes polies, dorées, qui vous font esclaves de la terre, tous les somnifères qui vous endorment! Ce que vous rapportera la victoire? Une volonté pure, une foi élevée une âme entière et cet esprit de sacrifice qui donne tout avec joie, jusqu'à la vie, enfin une couronne d'épines sur chaque front: le voilà votre gain.

Si Brand indique le chemin du sacrifice, c'est qu'il l'a pris le premier. «Il y a longtemps qu'on nous parle du bon chemin, qu'on nous l'indique du doigt; plus d'un nous l'a montré, mais tu es le premier qui l'aies pris toi-même,» lui dit un homme du peuple.

Si Brand demande *tout*, c'est qu'il a assez de force et de volonté pour *tout* donner

II

Brand est l'incarnation de la force et de la volonté. Brand appartient à cette catégorie d'élus «qui ont reçu la grâce, la faculté, le pouvoir, de *souhaiter* une chose, de *la désirer*, de *la vouloir*, avec tant d'âpreté, si impitoyablement, qu'à la fin, ils l'obtiennent» ou ils succombent.

Ce n'est pas en réveillant de brillantes qualités qu'on guérira des âmes estropiées, *c'est de volonté qu'il s'agit*. C'est la volonté qui rend libre..., ou qui tue. Elle est toujours la même, chez le petit comme chez le grand, toujours entière au milieu de l'éparpillement de toutes choses!

«Venez à moi, dit Brand, hommes, qui vous traînez lourdement dans cette vie. Ame contre âme, dans une communion intime, nous allons tenter l'oeuvre de purification, abattre l'indécision, imposer silence au mensonge et réveiller enfin le jeune lion de la volonté!»

Il ne s'agit pas de gémir et de pleurer platoniquement sur la triste condition de la nature humaine, sur les misères du monde, il faut agir. «Là où se trouve l'action, se trouve la force.»

L'activité maladroite produit toujours plus de résultats que la mollesse prudente. Si l'oisiveté peut tuer à la longue une volonté saine, l'action peut sauver une volonté malade. *Homines sunt voluntates*, a dit saint Augustin. La volonté c'est l'homme même.

Au milieu de ce tourbillon d'images, de désirs, de passions qui s'agite en nous, nous démêlons clairement une force irréductible, capable de régler tout ce mouvement: la volonté. «Je veux, je ne veux pas», ces mots gouvernent notre intelligence, notre sensibilité, notre esprit, tout notre être. Il ne suffit plus de dire avec Descartes: *Cogito, ergo sum*; il faut dire: J'agis, donc je vis. Je ne suis *moi* qu'autant que j'agis. Pour qu'une âme d'homme ait de la dignité, de la beauté morale, il faut que la volonté y règne en souveraine. La volonté, qui est la faculté essentiellement active de l'homme, concentre la puissance de toutes les autres facultés en vue de l'action qui est la manifestation suprême de la vie humaine. La destinée de l'homme, qui est le total de ses actes, est d'autant plus élevée, d'autant plus noble, d'autant plus utile, qu'elle se compose d'actes plus conformes au vrai, au bien, au juste, au beau, c'est-à-dire de manifestations plus pures de l'emploi de la volonté. La volonté, c'est la *pensée voulue*. «La pensée *voulue*, la pensée réfléchie, la véritable pensée humaine en un mot, ne saurait exister sans que se produise une de ces *volitions* toujours *intentionnelles* qu'on nomme idées-motrices. «Vivre, c'est vouloir; vivre, c'est agir; mais agir réellement, c'est agir avec conscience, avec la décision de dominer ses propres actes, de leur imposer une unité, de leur imprimer la forme de l'idéal que l'on porte en soi. La conscience, c'est l'âme dans la plénitude de ses facultés et de ses forces. La volonté est le principe de notre activité consciente, c'est elle qui donne le rayonnement et la valeur à notre vie. Sans volonté, il n'y a pas de caractère et sans caractère, il n'y a pas d'homme.

«Voici ce qui est écrit en caractères de feu par une main éternelle, dit Brand: Sois ferme jusqu'à la fin, on ne marchande pas la couronne de vie. Pour te purifier, ce n'est pas assez des sueurs de l'angoisse, il faut encore le feu du martyre; si tu ne *peux* pas, tu seras certes pardonné; mais si tu ne *veux* pas, jamais!»

«Délivrer la volonté ou succomber!» crie-t-il de toutes les fibres de son âme. L'homme capable de pousser ce cri sublime, dira et fera ce qu'il a à dire et à faire, malgré tous les obstacles, toutes les montagnes. «Réduites par la montagne, les paroles résonnent longtemps quand on parle à voix forte et pleine.»

Quand donc l'humanité guérie des mensonges s'élèvera-t-elle jusqu'à la volonté consciente! Brand nous fait voir que la volonté consciente engendre la liberté et la justice. «Au-dessus de la volonté, dit-il, règne un Dieu de liberté et de justice.»

Ce n'est pas ici le lieu de discuter la question: l'homme est-il libre? «La question du libre arbitre est du domaine de la métaphysique et insoluble.» «Libres ou non, nous tendons à la liberté, à l'indépendance absolue dont nous avons l'idée.»

La liberté n'est pas une faculté que nous apportons en venant au monde et que nous ne courons pas risque de perdre: nous ne la possédons que si nous nous la donnons à nous-mêmes. «Nous ne naissons pas libres, mais capables de devenir libres et soumis à l'obligation de le devenir. C'est là le privilège de l'homme et sa dignité propre, qu'il ne reçoit pas de la Nature un caractère tout fait et une destinée immuable: il est lui-même l'artisan de sa grandeur.»

Brand nous montre que la volonté fait naître la liberté qui engendre la justice. «Accourez, natures fraîches et jeunes; qu'un souffle de justice balaye la poussière qui vous couvre dans cette sombre impasse!» Car la liberté sans la justice est une chimère. «La justice n'est pas une convention humaine. Quelle que soit sa nature, elle est éternelle et immuable.» Ceux qui disent: «La justice n'est pas de ce monde» mentent. La justice n'est pas un attribut divin inaccessible à l'homme; la justice est le droit de l'individu et de l'humanité.

«La vérité et la justice ne sont pas des hasards; elles sont au fond même des âmes humaines; elles en sont la loi idéale; et ce n'est point par leurs manifestations mutilées et débiles qu'il faut juger de leur force, mais par la promesse d'avenir qu'elles portent en elles, par la secrète vertu qui, tôt ou tard, ici ou là, doit aboutira de belles révélations. «Nous préférons tous la justice à l'injustice. Ce qu'il nous manque, c'est le courage d'être juste. La justice suprême, la justice sincère, la justice se jugeant elle-même et jugeant selon ses propres maximes, nous ne la trouverons nulle part, si nous ne parvenons pas à la faire naître, croître et fleurir en nous-mêmes. C'est en nous-mêmes, dans les profondeurs de notre âme, de notre conscience, que nous devons puiser l'amour, la volonté, la liberté, la justice.

III

Brand est le type de l'homme fort, conscient, il a du courage, de la force, de l'audace, il aime le combat: la lutte a peur des courageux. «La lumière plane sur les champions .» On puise du courage à les suivre. Ah! certes, Brand n'arrive pas à réaliser ses rêves, il ne parvient pas à construire sa Nouvelle Eglise, il est lapidé par la foule qui demande des jouissances immédiates.

— «Quelle sera notre récompense?» gronde-t-elle. «La pureté de la volonté! La pureté de la conscience!» répond l'apôtre.

Mais la populace préfère ses misères. Brand est frappé, il expire pour avoir voulu aimer l'Idéal. Et qu'importe! «Il est doux d'être le martyr d'une grande idée.»

Brand n'est qu'un symbole, un rayon qui nous éclaire le chemin à suivre. Comme *Solness le Constructeur*, Brand est «un homme de génie qui rêve ; trop haut, tombe du haut de son rêve et en meurt». Qu'importe! Qu'importe! D'autres viendront, continueront et achèveront peut être l'oeuvre commencée. Toute idée porte son fruit tôt ou tard. Lorsque Danton, près de s'incliner sous le couperet, dit à son bourreau: «Tu montreras ma tête au peuple: elle en vaut la peine,» ce ne fut pas la vanité qui lui arracha ses terribles paroles. Le grand tribun de la liberté sentit au moment suprême que rien ne vivifie les idées comme les supplices des martyrs.

Si Brand, par sa vie, nous apprend à vivre, à vouloir, il nous enseigne, par sa mort, à savoir mourir. Oui, il y a toujours quelque lâcheté à se laisser vaincre, lorsqu'on peut être victorieux. Mais Brand a lutté. L'homme fort ne se laisse jamais abattre. Le danger ne l'arrête point, quand sa conscience l'appelle à l'affronter, il ne cède qu'à la nécessité à laquelle il serait inutile de faire résistance; les difficultés l'animent, loin de le rebuter; il ne craint ni ne recherche la mort; toujours prêt à la recevoir, il se contente de l'attendre de pied ferme. Nous devons oser également vivre et mourir, tenir ferme contre les calamités de la vie, voir la mort sans faiblesse, lorsqu'on ne peut l'éviter, et nous y exposer sans crainte toutes les fois que le devoir véritable nous y appelle.

Les dernières paroles de Brand sont: «Chaque race envoie un de ses fils à la mort pour expier les crimes de tous.» Ce ne sont pas là les paroles d'un égoïste! Lorsque Brand meurt, une voix s'élève et murmure: «Dieu est charité.»

Charité ici ne désigne point le mensonge par lequel les «Soutiens de la Société actuelle» nourrissent les misérables en leur jetant parfois des os desséchés de leurs somptueux festins. La *Charité* ici veut dire *Amour*. Dieu, c'est l'Amour.

Quand la Sorbonne condamna la traduction de l'*Axiochus* de Platon et que le Parlement condamna le traducteur, Etienne Dolet, à être brûlé «dans un lieu commode et convenable», celui-ci, voué au bourreau pour athéisme répondit par un chant d'immortalité:

Si au besoin le monde m'abandonne....
Dois-je en mon coeur pour cela mener deuil?
Non, pour certain, mais au ciel lever oeil
Sans autre égard....

Ces cantiques sont plus utiles à la foule ingrate que tous les blasphèmes,—à la foule qui tue ceux qui lui veulent du bien. Aristote et Sénèque sont condamnés, comme impies, à la mort; le grand et vertueux Socrate est condamné à mort en prêchant l'unité de Dieu, afin d'éteindre les haines religieuses entre nations; Christophe Colomb, après avoir découvert l'Amérique, est jeté dans les fers; Spinoza est flétri par la synagogue.... Les siècles passent et l'on s'agenouille devant ces surhumains considérés par leurs contemporains comme fous et criminels! Il y a des époques où savoir être fou, c'est faire acte de sagesse! Ce sont ces fous, «ces martyrs qui tirent l'humanité de ses impasses, qui affirment, quand elle ne sait comment sortir du doute».

C'est la flamme épique de ces grands enthousiasmes, c'est le soc de fer de ces mâles volontés qui font l'histoire, qui jettent à l'univers de nouveaux principes, qui construisent des Eglises nouvelles.

«Des millions s'occupent à perpétuer l'espèce; c'est par quelques-uns seulement que se propage l'humanité.»

On ne fera jamais rien avec la foule. L'esclavage des siècles l'a trop avilie. La foule désire la récompense avant la peine, elle veut des miracles même mensongers. L'idée, la conviction désintéressée, le courage qui ne veut d'autre récompense que celle du devoir accompli, le sacrifice qui ne cherche d'autre satisfaction qu'en lui-même, toutes ces chimères lumineuses dépassent trop le niveau ordinaire de la vie pour ne pas prêter à des soupçons malins, — et l'on accuse ceux qui ne cherchent que la vérité et la justice, et on les condamne en les déclarant ennemis de la société.

Aimons la foule, aimons le peuple, mais ne le lui disons jamais! surtout ne cherchons pas à lui plaire. Si nous voulons tôt ou tard lui faire comprendre et adopter nos idées, ne cherchons pas à avoir l'air d'accepter les siennes. Montrons-nous tels que nous sommes, dévoilons-lui la vérité, la vérité entière, la vérité toute nue, fût-elle dure. Ce n'est pas eu flattant la foule, en lui répétant qu'elle a toujours raison que nous la réveillerons. Si la foule voulait avoir raison, elle serait déjà libre à l'heure actuelle! Non, la foule n'a pas toujours raison.

«La majorité n'a jamais raison, dit Stockmann, jamais! C'est un de ces mensonges sociaux contre lesquels un homme libre de ses actes et de ses pensées doit se révolter. Qui forme la majorité des habitants d'un pays? Est-ce les gens intelligents ou les imbéciles? Je suppose que nous serons d'accord qu'il y a des imbéciles partout, sur toute la terre, et qu'ils forment une majorité horriblement écrasante. La majorité a la force, malheureusement, mais elle n'a pas la raison. L'ennemi le plus dangereux de la vérité et de l'affranchissement intellectuel, c'est la majorité compacte.... Les vérités de la majorité, les vérités de la foule, de la masse sont celles qui sont en passe de devenir des mensonges....» «Bjornson dit que la majorité a toujours raison, et c'est ce qu'un politique pratique doit dire. Moi, au contraire, je suis obligé de dire: La minorité a toujours raison. Je parle de cette minorité de gens qui marchent à l'avant-garde vers un but que la majorité n'est pas encore en état d'atteindre.»

L'idée des minorités, défendue par les héros d'Ibsen, renferme une pensée de justice et d'équité bien opposée à la primauté de la force. Si même les minorités n'arrivent pas à réaliser leurs idées, elles sont utiles: elles ne laissent pas les majorités s'endormir; elles sont un contrôle nécessaire, elles sont un guide, toujours utile, jamais nuisible.

Toute vérité nouvelle, dit Tolstoï, qui change les moeurs et qui fait marcher l'humanité en avant n'est acceptée tout d'abord que par un petit nombre d'hommes qui ont parfaitement conscience de celte vérité. Les autres, qui ont accepté par confiance la vérité précédente, celle sur laquelle est basé le régime existant, s'opposent toujours à l'extension de la nouvelle. Mais plus il y a d'hommes qui se pénètrent de toute vérité nouvelle, plus cette vérité est assimilable, plus elle provoque de confiance chez les hommes d'une culture inférieure. Ainsi le mouvement s'accélère, s'élargit comme celui d'une boule de neige, jusqu'au moment où toute la masse passe d'un coup du côté de la vérité nouvelle et établit un nouveau régime.

Si Ibsen donne toujours raison à la minorité, il ne dit nulle part qu'il faut dédaigner la majorité. «Les millions d'êtres humains qui composent une grande nation se réduisent pour elle-même et pour les autres à quelques milliers d'hommes qui sont sa conscience claire, qui résument son activité sociale sous toutes ses faces: politique, industrie, commerce, culture intellectuelle. Pourtant ce sont ces millions d'êtres ignorés, à existence bornée et locale, vivant et mourant sans bruit, qui font tout le reste: sans eux, rien n'est.»

Oui, sans la majorité rien n'est, Ibsen nous fait seulement voir que c'est l'individu, la minorité qui a toujours raison. Stockmann, Brand, Solness, nous répètent maintes fois: Tout être est une force, il faut que cette force s'exprime. «Chacun est le gardien naturel de sa propre santé, physique, mentale et spirituelle; les intérêts de l'homme n'autorisent la soumission de la spontanéité individuelle à un contrôle extérieur qu'au sujet de ces actions d'un chacun qui touchent les intérêts d'autrui.»

Respecter la liberté d'autrui n'est possible qu'à l'homme libre, et pour devenir libre, dit Brand, l'homme n'a à compter que sur lui-même. Il ne doit pas être esclave de la majorité, il ne doit être esclave de personne. «Faut-il, demande Elisée Reclus, que nous, les ennemis du christianisme, nous rappelions à toute une société qui se prétend chrétienne ces mots d'un homme dont elle a fait un Dieu: «Ne dites à personne: Maître, maître!» Que chacun reste le maître de soi-même. Ne vous tournez point vers les chaires officielles, ni vers de bruyantes tribunes, dans la vaine attente d'une parole de liberté.» Prenez la liberté vous-même, restez toujours vous-même! «Ce que tues, sois-le pleinement, pas à demi.... Place au soleil, place partout à qui veut être vraiment soi-même!» Que l'homme dans un élan de fierté et d'énergie devienne son propre Maître, que la

Conscience devienne son dieu, la Justice son prêtre, l'Humanité son autel!

CHAPITRE IV

CE N'EST PAS L'INDIVIDU, MAIS LA FAMILLE QUI CONSTITUE L'UNITÉ SOCIALE

On a souvent dépeint Ibsen comme n'ayant à coeur que les intérêts de l'individu et considérant ce dernier comme l'unité sociale. M. A. Leroy-Beaulieu dans un discours prononcé à l'Hôtel des Sociétés Savantes le 24 janvier 1896 s'écria en s'adressant à son auditoire: «N'écoutez pas les faux prophètes qui osent diviniser l'individu, et ne vous laissez point séduire par l'éloquence des grands prêtres, français ou exotiques, de l'individualisme. Ne prenez pas pour modèles les héros ou les héroïnes du Scandinave Ibsen dans leur révolte contre la loi morale et contre la loi sociale.... Ils s'attaquent aux groupements les plus anciens, les plus légitimes et je dirai les plus sacrés de l'humanité, et ici je n'entends pas seulement la religion, mais la famille.... Nous pensons que l'unité sociale, la molécule sociale, ce n'est pas l'individu, c'est la famille.»

Ibsen n'a jamais soutenu le contraire. S'il défend partout la personne humaine contre les mensonges de la société, s'il défend la libre activité et l'énergie individuelles, il ne dit nulle part dans son oeuvre qu'il faut sacrifier la société à l'individu, que l'individu doit se renfermer à jamais dans l'enceinte de sa personnalité. Il veut régénérer l'individu pour reconstituer une société composée d'individus sains. Son idéal est plutôt social qu'individuel. «Un nouvel édifice appelle une âme régénérée, un esprit purifié.»

L'individu et la société ne doivent pas être opposés l'un à l'autre.

Le droit individuel ne doit jamais être en antagonisme avec le droit social. Si la société ne peut pas exister sans l'individu, l'individu, lui, est directement intéressé à la conservation de la société. «L'individu est la réalité concrète de l'humanité, la société en est la forme naturelle et nécessaire. Donc, ce qu'il faut chercher, c'est la fin supérieure, dans la poursuite de laquelle l'individu et la société, en même temps que chacun d'eux développera ses vertus propres, se sentiront de plus en plus solidaires.»

Qu'est-ce que la société, sinon la collection des individus? Si le tout est défectueux, c'est que les parties sont gâtées; si la société est mauvaise, c'est que l'individu est vicié. Si le mal est dans la société, c'est qu'il a été, tout d'abord, dans l'individu. Ce n'est donc pas la société qu'il faut détruire, c'est l'individu qu'il faut réformer.

«On a peine à croire que l'idée de l'indépendance et de la responsabilité morales individuelles soit le fruit de longs siècles de développement moral. La tribu ou la famille est l'unité éthique des temps primitifs; puis, vient l'état, plus tard c'est la caste et enfin, c'est l'individu. Le progrès moral, c'est la découverte progressive de l'individu. La vraie nature de l'individu répond à la vraie nature de la société, c'est la découverte de la première qui amène celle de la seconde.»

Etre riches en bonnes pensées, en bons sentiments et en bonnes oeuvres portant pleinement notre empreinte, à nous, ne nous empêche point d'en faire profiter la société. Si Ibsen glorifie la puissance du *moi* individuel, c'est pour le mettre au service de la société. Pour lui ce n'est pas la société qui transformera l'individu, c'est l'individu qui transformera la société.

L'individu doit se relever lui-même, il doit fonder une famille saine qui servira de base à la société nouvelle. S'il réclame la liberté individuelle, la liberté entière, absolue, de faire tout ce qui est dans la nature de l'être humain, c'est pour que ce dernier l'emploie à la régénération de la société. L'individu, c'est le germe fécond, le rayon vivifiant, le régénérateur qui amènera la purification de la vie sociale, la vraie liberté, la vraie justice, la vraie solidarité humaine.

Pour Ibsen, la véritable unité sociale n'est pas l'individu, mais la famille. «Il n'y a pas côte si rude qu'on ne puisse la gravir à deux,» dit Brand. «Près de toi, avoue-t-il à Agnès, je n'ai jamais senti mon courage faiblir. J'avais accepté ma vocation comme un martyre. Mais, depuis ce temps, quelle transformation! Comme j'ai été heureux dans mes efforts! Avec toi, l'amour est entré dans mon âme comme un doux rayon de printemps. Ah! l'on dirait que toute la somme de tendresse amassée dans mon coeur s'est faite auréole pour ceindre mon front et le tien, ô ma chère épouse! L'esprit de douceur qui m'a pénétré, cet arc céleste, est ton oeuvre. Pour qu'une âme embrasse tous les êtres, il faut d'abord qu'elle en chérisse un seul».

Dans *Le Petit Eyolf*, l'ingénieur Borgheim qui a des flaells à traverser, d'incroyables difficultés à vaincre, qui trouve le monde beau et le métier de *frayeur des chemins*, admirable, Borgheim ne veut pas rester seul, il demande à Asta de l'aider, de partager ses joies.

ASTA. — Vous avez un grand travail devant vous, une nouvelle voie à frayer.

BORGHEIM. — Mais je n'ai personne pour m'aider. Personne avec qui partager mes joies. Ah! c'est là le plus dur.

ASTA. — N'est-ce pas plutôt d'être seul à supporter les peines et les fatigues?

BORGHEIM. — Ces choses-là, on en vient à bout sans aide.

ASTA. — Mais la joie selon vous ... demande à être partagée?

BORGHEIM. — Oui. Où serait sans cela le bonheur.

ASTA. — Vous avez peut-être raison.

BORGHEIM. — On peut rester quelque temps avec sa joie dans son coeur.... Mais cela ne suffit pas à la longue.... Non, non, on ne peut être joyeux qu'à deux.

Et Asta va accompagner Borgheim pour *frayer les chemins*.

Même le docteur Stockmann celui qui prononce cette phrase terrible: «L'homme le plus puissant, c'est celui qui est le plus seul», *le docteur Stockmann reste avec sa famille*. Il dit à ses enfants: «Je veux vous élever moi-même, je veux faire de vous des hommes libres et nobles.»

C'est avec le concours moral d'Agnès que Brand se met à construire sa *Nouvelle Eglise*; c'est pour Hild que Solness le Constructeur bâtit sa tour gigantesque; l'ingénieur Borgheim fonde une famille avant de partir *frayer les chemins*; le docteur Stockmann se consacre à sa famille et à l'éducation de ses enfants. Qui donc peut dire que l'Unité sociale pour Ibsen n'est pas la famille, mais l'individu? Ibsen est d'accord avec Auguste Comte: «Ce n'est pas l'individu, c'est la famille qui constitue la molécule sociale.»

Si l'on trouve de l'égoïsme dans les héros d'Ibsen, c'est chez «les soutiens de la Société actuelle» et non pas chez les champions de la Société nouvelle. Ce n'est pas pour eux-mêmes que ceux-ci deviennent eux-mêmes, qu'ils s'élèvent jusqu'à leur *moi moral*. Il y a dans la nature humaine deux grands courants qui se rapportent à deux points de vue distincts: égoïsme et altruisme. Le soin de la conservation individuelle., cet argument suprême de la vie matérielle, crée l'égoïsme. Mais l'homme ne peut pas vivre seul, sous peine de disparaître tout entier de la surface du globe. Les intérêts de l'individu se heurtent à ceux de ses semblables. L'union des sexes est le premier pas vers l'altruisme. Aussitôt que l'homme et la femme s'unissent pour fonder une famille, c'est-à-dire pour constituer le premier terme de toute société, la morale altruiste naît avec ce commencement d'état social.

Comme Tolstoï, Ibsen ne proteste point contre l'institution même de la famille, mais contre ses conditions actuelles. La famille a conservé à travers les âges, et malgré ses transformations successives, le stigmate de son origine. Elle est restée au patriarchat ce que le gouvernement représentatif est à l'autorité absolue. La famille est un petit état, où l'homme est souverain, la femme et les enfants sujets, où l'intérêt matériel est en hostilité avec la conscience. Elle est la profanation de tous les sentiments vrais, de toutes les pures et suaves aspirations de l'amour.

Ibsen veut la famille forte, basée sur l'égalité des sexes. A l'homme libre, il faut une femme libre.

CHAPITRE V

L'EMANCIPATION DE LA FEMME — LE MARIAGE LIBRE
LA SOCIÉTÉ NOUVELLE

I

Il y a un peu plus d'un quart de siècle que John Stuart-Mill posa le problème de l'émancipation de la femme. Depuis ce moment les idées du penseur anglais se sont frayé un passage dans tous les pays.

Défenseur de l'être humain, Ibsen ne pouvait pas ne pas songer a l'amélioration de la condition de la femme qui est non seulement esclave de la société, mais aussi du mari ou du père. Il ne pouvait pas ne pas voir que le monde traite l'homme et la femme avec la plus monstrueuse inégalité, que dans toutes les conditions de la vie la femme est inférioriseé, et dans le mariage même asservie. Son bon sens, son grand coeur de poète lui disait que celle qui porte la moitié du fardeau de la vie doit aussi participer à la moitié des droits qu'elle donne. Et, comme beaucoup d'autres esprits supérieurs, Ibsen a consacré la puissance de sa plume à la défense de la femme.

Car la division en deux de l'unité humaine n'est pas rationnelle. Cette division blesse la nature, offense la raison et la morale. La question féminine agite et révolutionne actuellement le monde moderne. Les philistins des deux sexes qui n'osent pas s'arracher au cercle étroit des préjugés, appellent ce mouvement «la folie du siècle». «Ils sont de l'espèce des chouettes qui se trouvent partout ou règne la nuit et qui poussent des cris d'effroi quand un rayon de lumière tombe dans leur commode obscurité.» Ils évoquent la prétendue inégalité des sexes, mais ils oublient que l'égalité n'implique pas l'idée de ressemblance, elle n'exige pas même extérieur, même force, elle comprend la justice *immanente* pour tous les êtres, faibles ou forts; elle met en présence des êtres humains qui se respectent les uns les autres.

La grandeur des individus vient non de leurs muscles, mais de leur intellectualité et de leur morale. La condition différente des sexes est la suite d'une évolution fausse. L'homme a usurpé graduellement la responsabilité pour la pensée et l'action de la femme, la femme lui a cédé graduellement sa liberté de corps et d'âme.

La femme moderne a déjà prouvé qu'elle possède les mêmes capacités intellectuelles que l'homme et qu'il n'y a pas de branche d'activité humaine où elle ne puisse remplacer et souvent même dépasser l'homme. L'histoire et nos relations particulières fourmillent d'exemples sur la valeur intellectuelle et morale d'un très grand nombre de femmes, valeur qui sera encore mieux développée quand nous jouirons d'un tout autre mode d'éducation qu'aujourd'hui. «L'opinion générale accorde aux femmes une conscience ordinairement plus scrupuleuse que celle des hommes; or, qu'est-ce que la conscience si ce n'est pas la soumission des passions à la raison?»

L'âme féminine possède plus souvent que celle de l'homme les nobles vertus de générosité et de bonté, car le rôle du féminisme est tout de pacification: la femme se jette dans la mêlée sociale pour en atténuer le choc, adoucir la douleur des vaincus et grandir le coeur des vainqueurs.

Il ne s'agit pas de la protection à accorder aux femmes, mais de leurs droits à la liberté. La protection et la liberté sont deux termes qui s'excluent. Vouloir établir une supériorité ou une infériorité de sexes, c'est fausser les plateaux de la balance, en violenter l'équilibre, c'est forfaire à la nature. La sujétion de la femme est un legs de la sauvagerie primitive et aussi longtemps que l'égalité des sexes ne sera pas complète, le règne de la raison humaine sera une fiction.

Que celui qui veut l'homme libre réclame l'affranchissement de la femme. Il faut élever les femmes jusqu'à nous, leur donner autant de droits qu'à nous; ni esclaves, ni courtisanes, il faut en faire des compagnes libres, capables de travailler avec nous à la transformation de la société. Travailler à l'émancipation de la femme, c'est améliorer le bien-être général. Il faut que l'homme et la femme unissent leurs intelligences comme ils unissent leurs coeurs. «L'homme et la femme, dit Kant, ne constituent l'être humain entier et complet que réunis; un sexe complète l'autre.» La famille doit être composée de deux êtres qui respectent la dignité individuelle réciproque. Fille, épouse ou libre, il n'y a pas de différence au point de vue du droit et de la morale entre l'homme et la femme. Libres tous deux, nul n'est le maître. C'est l'homme libre de toute tyrannie sociale; c'est la femme affranchie de tout joug, égale à l'homme en droits et en devoirs, ayant reçu la même éducation que lui, indépendants tous les deux et sans préjugés, qui formeront la famille nouvelle.

II

Comme Platon, Ibsen représente les deux sexes, deux parties d'un même tout, séparées jadis par quelque douloureux déchirement et aspirant à reconstituer leur primitive unité.

De quelles femmes admirables a-t-il peuplé son théâtre! On prétend que ce sont des fictions, des rêves, que dans la vie ces femmes sont des phénomènes.

BORCKMAN. — Ah! ces femmes! Elles nous gâtent et nous déforment l'existence! Elles brisent nos destinées, elles nous dérobent la victoire.

FOLDAL. — Pas toutes, Jean Gabriel!

BORCKMAN. — Vraiment! En connais-tu une seule qui vaille quelque chose?

FOLDAL. — Hélas! non! Le peu que j'en connais n'est pas à citer.

BORCKMAN. — Eh bien! qu'importe qu'il y en ait d'autres si on ne les connaît pas!

FOLDAL. — Si, Jean Gabriel! cela importe quand même. Il est si bon, il est si doux de penser que là-bas, au loin, tout autour de nous ... la vraie femme existe quoi qu'il en soit.

BORCKMAN. — Ah! laisse-moi donc tranquille avec ces poétiques sornettes!»

Fictions? rêves? Peut-être. Mais nous n'avons pas à nous plaindre: nous avons élevé la femme d'après notre image. Fiction ou réalité, les femmes d'Ibsen sont des êtres supérieurs. Et l'homme est ainsi fait qu'il aime prendre souvent ses désirs pour des réalités, il est porté à vouloir ce qu'il ne possède pas.

L'homme qui ne rencontre pas une femme qui le comprend périt sans avoir rien fait. Celui qui a le bonheur, comme Brand, de trouver sur son chemin une Agnès, peut fièrement aller bâtir des Eglises nouvelles. La merveilleuse figure d'Agnès! Pour suivre Brand elle quitte tout. «Salue ma mère et mes soeurs, dit-elle. Je leur écrirai si je trouve des paroles à leur dire. Je ne quitterai plus celui qui est mon frère et mon ami.» C'est en vain que Brand lui dit qu'elle prenne garde à ce qu'elle fait: «Désormais étouffée entre deux flaells, sous un humble toit, au pied d'une montagne qui me fermera le jour, ma vie s'écoulera comme un triste soir d'octobre.»

AGNÈS. — Je n'ai plus peur des ténèbres. A travers les nuages, je vois une étoile qui brille.

BRAND. — Sache que mes exigences sont dures, je demande tout ou rien. Une défaillance et tu aurais jeté ta vie à la mer. Pas de concession à attendre dans les instants difficiles, pas d'indulgence pour le mal! Et si la vie ne suffisait pas, il faudrait librement accepter la mort.

AGNÈS. — Derrière la nuit, derrière la mort, là-bas je vois l'aube!

Et lorsque trois ans plus tard il lui dit: «Agnès, cet air est âpre et froid. Il chasse les roses de tes joues. Il glace ton âme délicate. C'est une triste maison que la nôtre. Avalanches et tempêtes sévissent autour de nous. Je t'ai prévenu que le chemin était rude.» Agnès lui répond souriant: «Tu m'as trompée. Il ne l'est pas.»

Et elle est morte, «en espérant, en attendant l'aurore, riche de coeur, ferme de volonté jusqu'à l'heure suprême, reconnaissante pour tout ce que la vie avait donné, pour tout ce qu'elle avait ôté: c'est ainsi qu'elle descendit au tombeau».

Dans Mme Elvsted, dans Rita et dans Irène, Ibsen nous montre le type des femmes qui exercent une influence intellectuelle sur l'esprit de l'homme. L'esprit droit et le coeur bon sont comme la santé et le bonheur: celui qui les possède le plus est celui qui s'en doute le moins. Mme Elvsted n'a pas la moindre idée que c'est elle qui a inspiré à Loevborg, les *Puissances civilisatrices de l'Avenir*. Dans le *Petit Eyolf*, Allmers travaille à un gros livre: *De la responsabilité humaine*; mais il commence à douter de lui-même, de sa vocation, et l'idée toujours impérieuse de grands devoirs à accomplir le pousse à chercher un nouveau but de la vie; il croit le trouver dans l'amour de son enfant Eyolf, petit infirme que son livre lui faisait négliger. Et lorsque l'enfant se noie, cet homme plein de force trouve la vie, l'existence, le destin, vides de sens, il aspire vers la solitude des montagnes et des grands plateaux, il veut goûter la douceur et la paix que donne la sensation de la mort, et c'est sa femme, Rita, qui par la force de sa passion, indique à Allmers son vrai devoir: soulager la misère de l'humanité souffrante. Elle lui fait comprendre qu'occupé de son travail: *De la responsabilité humaine*, il a oublié sa vraie responsabilité envers «les pauvres gens d'en bas». Dans *Quand nous nous réveillerons d'entre les morts*, c'est Irène qui fait créer au sculpteur Rubeck son chef-d'oeuvre *Le Jour de la Résurrection*. Irène a abandonné tout pour Rubeck, famille, foyer, pour le suivre et lui servir de modèle. Elle lui a donné «son âme jeune et vivante, et reste avec un grand vide», car si le sculpteur était *tout* pour Irène, celle-ci n'était, suivant l'expression de Rubeck, «qu'un épisode béni» dans sa vie d'artiste. De ses mains légères et insouciantes il a pris un corps palpitant de jeunesse et de vie et l'a dépouillé de son âme afin de s'en mieux servir pour créer une oeuvre d'art. Il s'aperçoit trop tard qu'elle était pour lui non seulement un modèle, mais la source même de son talent. Il a tenu le bonheur entre ses mains et l'a laissé échapper, considérant, d'après la raillerie d'Irène, «l'oeuvre d'abord ... l'être vivant ensuite». L'homme ne croit qu'en soi; la femme en celui qu'elle aime. La femme supérieure est capable d'inspirer à l'homme aimé les idées les plus grandes et les plus nobles. Elles sont admirables, ces femmes fortes, ces femmes vaillantes qui luttent à côté de l'homme pour ramener l'humanité vers les hauteurs de l'intellectualité et de la raison. Elles répandent autour d'elles cette lumière douce qui éclaire sans éblouir, qui ouvre des horizons nouveaux, qui éveille la pensée, la volonté, l'action, la vie.

III

Ibsen a soin de nous faire comprendre que dans l'oeuvre de son affranchissement la femme doit avant tout compter sur elle-même, car l'homme est encore ennemi de la femme libre; il ne voit pas, le malheureux, l'avantage qu'il tirera lui-même de la liberté morale de la femme. L'idée que la femme ne doit compter que sur ses propres forces est exprimée dans *La Dame à la Mer*. Une jeune fille porte en elle un rêve d'amour. Elle fait un mariage de raison, mais elle garde toujours le désir du bonheur. Toutes les contraintes ne sauront qu'exaspérer ce désir. Tous les remèdes ne l'aideront qu'à se perdre. Mais si elle regarde en face le danger, si elle porte en elle assez de volonté, elle peut être sauvée, elle peut devenir libre.

Nora le prouve d'une manière éclatante. Nora est considérée par son mari comme une charmante petite poupée, mais cette poupée est une femme, elle porte en elle le vrai sens moral qui est au-dessus de la morale conventionnelle et hypocrite du milieu qui l'entoure. Nora aime son mari et pour le sauver quand il tombe malade, elle emprunte furtivement une certaine somme d'argent et emmène son mari dans le Midi. Mais Nora, ignorant les lois juridiques qui sont toujours en contradiction avec les lois humaines, pour son emprunt ne s'est pas conformée à toutes les prescriptions du Code. Le mari l'apprend. Il l'accable d'injures, de malédictions, et c'est l'homme qui prétendait l'aimer! Lui, qui devrait tressaillir d'admiration et d'orgueil pour l'acte de Nora, preuve palpitante de son amour, il n'éprouve même aucune pitié pour la pauvre ignorante des lois de la société, anéantie qu'elle est par la révélation subite de la misère morale de l'homme! C'est entendu, la petite Nora a très mal agi, c'est une coupable, et encore, peut-être simplement une étourdie, un être faible, mais à qui la faute? N'avait-elle pas été élevée et traitée comme une poupée? Quel est le tribunal qui n'accorderait pas à Nora un peu d'indulgence?

Lorsque le mari apprend que son «honneur» n'est plus menacé, il pardonne à sa femme. Mais la conscience de Nora s'est éveillée, elle commence à voir clair en elle-même, elle considère déjà autrement les hommes et les choses. Elle déclare à son mari qu'elle va le quitter.

HELMER. — C'est révoltant. Ainsi tu trahiras les devoirs les plus sacrés?

NORA. — Que considères-tu comme mes devoirs les plus sacrés?

HELMER. — Ai-je besoin de te le dire? Ne sont-ce pas tes devoirs envers ton mari et tes enfants?

NORA. — J'en ai d'autres tout aussi sacrés.

HELMER. — Tu n'en as pas. Quels seraient ces devoirs?

NORA. — Mes devoirs envers moi-même.

HELMER. — Avant tout, tu es épouse et mère.

NORA. — Je ne crois plus à cela. Je crois qu'avant tout je suis un être humain au même titre que toi ... ou au moins que je dois essayer de le devenir.

Nora est le personnage d'Ibsen qui est le plus accablé par les «gens honnêtes». Quitter le mari et les enfants! D'abord n'oublions pas que Nora n'est qu'une idée, un Symbole révolutionnaire. Dans la vie comme dans le théâtre les actes révolutionnaires sont parfois nécessaires. Si Ibsen n'avait pas suggéré à Nora d'abandonner son foyer domestique, on n'aurait peut-être pas fait grande attention à cette petite poupée qui pense et qui sent. C'est cet acte de révolte qui attire nos regards et nous oblige à méditer un peu sur l'état d'âme de Nora.

N'a-t-elle pas raison, cette fière révoltée, de dire qu'elle ne se sent plus capable d'élever ses enfants, elle qui apprend qu'elle ne sait rien elle-même? La famille ne pourra être vraiment digne que lorsque la femme aura acquis l'égalité et l'indépendance morales indispensables pour remplir sa mission d'épouse et de mère. Reprendre la vie conjugale? Mais qu'y a-t-il de plus immoral et de dangereux comme l'union forcée à perpétuité entre gens qui se méprisent, se haïssent ou simplement ne se comprennent pas?

Si Nora avait été élevée comme Rébecca West, elle n'aurait pas épousé Helmer, ce banquier sans coeur. Rébecca West est une volonté âpre, une imagination libre, un esprit indépendant et émancipé. Après avoir arraché Rosmer aux hypocrisies de la société, elle préfère se jeter avec lui dans un torrent que de vivre dans le mensonge.

Hedda Gabler est aussi une figure originale, belle et forte. Elle se reproche, comme une lâcheté, d'avoir épousé Tesman, honnête imbécile et spécialiste froid, et non pas Loevborg, esprit libre, auteur d'un bel ouvrage de philosophie. Quand Hedda apprend que Loevborg s'est donné la mort, elle s'écrie: C'est une délivrance de savoir qu'il y a tout de même quelque chose d'indépendant et de courageux en ce monde, quelque chose qu'illumine un rayon de beauté absolue.... Loevborg a eu le courage d'arranger sa vie à son idée. Et voici maintenant qu'il a fait quelque chose de grand où il y a un reflet de beauté. Il a eu la force et la volonté de quitter si tôt le banquet de la vie.» Mais quand on lui dit que Loevborg s'est tué chez une danseuse et que son coup de pistolet a été dirigé non pas dans la poitrine, mais dans le bas ventre, Hedda Gabler s'écrie: «Ah! le ridicule et la bassesse atteignent comme une malédiction tout le monde.» Elle se tire un coup de pistolet à la tempe. Pour elle, c'est un rayon de force, de volonté, de beauté.

Rébecca West et Hedda Gabler préfèrent mourir que de traîner une existence vide de grandeur.

IV

C'est le mariage actuel qui est la cause des souffrances de Mme Alving, de la révolte de Nora, du suicide de Rébecca West et d'Hedda Gabier.

Le mariage qui crée la famille est une chose sainte, c'est un sanctuaire, où l'homme et la femme, constituant un être complet, adoucissent les misères morales et physiques de chacun, apaisent les amertumes, calment les souffrances, purifient les aspirations; c'est une source d'actions généreuses et altruistes. Ibsen ne conteste point le mariage, mais la manière dont il se forme. Les relations conjugales sont pour lui une question de confiance, d'intimité et d'amour, et il n'appartient pas à la société de s'y immiscer. «Peu importe l'opinion des autres quand nous sommes sûrs nous-mêmes de n'avoir rien à nous reprocher!»

Les lois, dites humaines, n'ont rien à voir dans les unions des sexes. Elles ne peuvent ni les épurer ni les ennoblir. Ce n'est pas la loi qui crée la morale, c'est la morale qui crée la loi. Le mariage doit être au-dessus de toutes les conventions humaines, la loi ne fait que violer la liberté des sentiments. Le contrat de mariage est un acte de défiance réciproque.

«Le bonheur a-t-il donc besoin de s'appuyer sur un serment pour ne pas se briser?»

«Elevons-nous au-dessus d'une loi qui n'est pas l'oeuvre de la nature mais toute conventionnelle.»

Le mariage doit toujours être l'union librement contractée de deux esprits et de deux coeurs; une telle union ne saurait se former qu'entre deux êtres dont l'éducation morale et intellectuelle est achevée, qui ont chacun pleine conscience et possession d'eux-mêmes et qui ont pu s'étudier mutuellement.

«L'union libre de deux coeurs, qui peut se rompre et qui subsiste cependant des années, est le témoignage le plus probant d'un véritable amour.»

Ce mot, le mot des dieux et des hommes: «Je t'aime!» n'a besoin d'aucune autorisation pour être dit.

Le mariage d'aujourd'hui est la cause de la débauche de l'homme. On unit la pureté avec l'impureté. Est-ce juste, est-ce sain, est-ce humain?

Le coeur de l'homme vierge est un vase profond:
Lorsque la première eau qu'on y verse est impure,
La mer y passerait sans laver la souillure,
Car l'abîme est immense et la tache est au fond.

La liberté d'amour et de mariage amènera la fin de ces monstruosités. Lorsque la femme sera aussi libre que l'homme, légalement et moralement, la débauche de la moitié du genre humain disparaîtra, car l'homme et la femme pourront librement s'unir d'une manière permanente. Il faut proclamer résolument et hautement le grand principe de l'égalité absolue de l'homme et de la femme devant la morale. Il faut que la loi, que la morale soit une, et que ce qui est permis à l'homme le soit également à la femme. *La liberté d'amour* fait tressaillir les «soutiens de la société actuelle», ils y voient des débauches extravagantes. Rien de plus faux. C'est la liberté d'amour qui établira l'équilibre passionnel. «Quand nous avons prononcé le mot d' *union libre,* on a protesté. Scientifiquement pourtant, et en allant aux extrêmes tant dans le groupe familial animal, qu'humain, les sociétés polygames sont plus nombreuses que les sociétés monogames. Loin de nous l'idée de propager la polygamie; *l'union libre n'est pas de la polygamie*. Le résultat de ces modifications serait la disparition de la prostitution.»

Le mariage libre, c'est-à-dire le mariage librement contracté, n'amène pas l'amour désordonné; au contraire, il chasse l'hypocrisie. Deux êtres humains se donnant l'un à l'autre librement n'ont pas d'intérêt à mentir et à tromper, ils peuvent se garder l'un à l'autre une fidélité intégrale. Nous entendons par fidélité intégrale, absolue, l'union de deux personnes qui s'aiment toujours et toujours jusqu'à leurs derniers moments, et le survivant conservant même sa fidélité par delà la tombe, fidélité non seulement au physique mais aussi au moral. C'est là le vrai mariage qu'on ne saurait assez préconiser, et comme il ne devrait jamais y en avoir d'autres, tout autre est plus ou moins impur! «Une promesse volontaire est un lien bien plus fort qu'un acte de notaire.» Dans une union formée librement entre deux êtres conscients, sans la contrainte d'aucune influence étrangère, la jalousie est impossible et l'adultère une traîtrise odieuse. La jalousie est un état égoïste, qu'on trouve plus souvent chez l'homme que chez la femme. Cela vient que l'homme considère la femme comme une *propriété* et qu'il aime tout rapporter à lui-même.

Le véritable amour, libre, volontaire et conscient, n'admet pas de jalousie, car il rapporte tout à l'objet aimé, se réjouit de tout ce qui lui est favorable, s'afflige de tout ce qui lui est contraire, et est toujours prêt à se sacrifier à lui. L'amour véritable ignore la jalousie. Hélas! combien y a-t-il d'êtres qui comprennent la puissance divine de l'amour? Combien y a-t-il d'hommes qui se servent du magnétisme puissant d'un coeur passionné pour élever et agrandir l'âme de celles qu'ils aiment? combien y a-t-il de femmes qui se servent de la sublimité que porte leur regard pour ennoblir l'homme qui s'agenouille devant elles en son coeur?

V

Quand les hommes comprendront la puissance divine de l'amour, la vraie famille, la Famille Nouvelle sera constituée. «Dans les phases primitives, pendant lesquelles la monogamie permanente se développait, l'union de par la loi, c'est-à-dire originairement l'acte d'achat, était censée la partie essentielle du mariage, et l'union de par l'affection était négligeable.

A présent, l'union de par la loi est censée la plus importante et l'union par l'affection la moins importante. Un temps viendra où l'union par affection sera censée la plus importante et l'union de par la loi la moins importante, ce qui vouera à la réprobation les unions conjugales où l'union par affection sera dissoute.»

La femme, dans la société nouvelle, jouira d'une indépendance complète; elle ne sera plus soumise même à un semblant de domination ou d'exploitation; elle sera placée vis-à-vis de l'homme sur un pied de liberté et d'égalité absolues. Son éducation sera la même que celle de l'homme, sauf dans les cas où la différence des sexes rendra inévitable une exception à cette règle et exigera une méthode particulière de développement; elle pourra, dans des conditions d'existence vraiment conformes à la nature, développer toutes ses formes et toutes ses aptitudes physiques, intellectuelles et morales; elle sera libre de choisir, pour exercer son activité, le terrain qui plaira le plus à ses voeux, à ses inclinations, à ses dispositions. Placée dans les mêmes conditions que l'homme, elle sera aussi active que lui. «Elle jouira de même que l'homme d'une entière liberté dans le choix de son amour.» Elle aspirera au mariage, se laissera rechercher et conclura son, union sans avoir à considérer autre chose que son inclination. L'intelligence, l'éducation, l'indépendance rendront le choix plus facile et le dirigeront.

Je ne puis ne pas reproduire ici cette page de Stuart Mill, page de vérité et de sagesse:

«Que serait le mariage de deux personnes instruites, ayant les mêmes opinions, les mêmes visées, égales par la meilleure espèce d'égalité, celle que donne la ressemblance des facultés et des aptitudes, inégales seulement par le degré de développement de ces facultés; l'une l'emportant par celle-ci, l'autre par celle-là; qui pourraient savourer la volupté de lever l'une vers l'autre des yeux pleins d'admiration et goûter tour à tour le plaisir de se guider et de se suivre dans la voie du perfectionnement? Je n'essaierai pas d'en faire le tableau. Les esprits capables de se le représenter n'ont pas besoin de mes couleurs, et les autres n'y verraient que le rêve d'un enthousiaste. Mais je soutiens avec la conviction la plus profonde que là, et là seulement est l'idéal du mariage, et que toutes les opinions, toutes les coutumes, toutes les institutions, qui en entretiennent un autre, ou tournent les idées et les aspirations qui s'y rattachent, dans une autre direction, quel que soit le prétexte dont elles se colorent, sont des restes de la barbarie originelle. La régénération morale de l'humanité ne commencera réellement que le jour où la relation sociale la plus fondamentale sera mise sous la règle de l'égalité, et lorsque les membres de l'humanité apprendront à prendre pour objet de leurs plus vives sympathies un égal en droit et en lumières.»

C'est l'homme et la femme libres qui fonderont la Famille Nouvelle; c'est la Famille Nouvelle basée sur l'égalité et l'amour qui établira la Société Nouvelle. Il ne faut pas se borner à l'amour étroit de la patrie, il faut être attaché à l'humanité tout entière dans laquelle nous sommes tous compris. On croit que, dès qu'on a servi son pays, on a fait un acte méritoire, comme si la justice absolue en elle-même devait se plier à nos exigences de clocher plus ou moins étendu: la justice est en son essence universelle et inaltérable.

«L'Eglise n'a ni limites ni enceinte. Son plancher est la terre verdoyante, les bruyères, les pins, le fjord et la mer.»

La famille nouvelle rendra la société cosmopolite et internationale parce que la solidarité humaine n'a pas de frontières et, ce qui s'appelle justice dans le nord ne peut pas se nommer infamie dans le midi; les frontières sont un obstacle à la marche des idées, au développement des sentiments humanitaires. Elle détruira la guerre et anéantira la production des canons, elle supprimera le paupérisme, honte de l'humanité civilisée, elle fera disparaître les parasites, ceux qui vivent du travail d'autrui, elle décrétera l'inviolabilité de la vie humaine et abolira la peine de mort. Le coupable est souvent un malade qu'il faut guérir, un malheureux qu'il faut moraliser, instruire ou consoler. La peine de mort est un acte immoral préjudiciable à la société; il faut le rappeler sans cesse à la conscience publique. Le bien ne résulte pas de la répétition du mal. «La peine de mort est un meurtre, un meurtre absolu, c'est-à-dire la négation souveraine des rapports moraux entre les hommes.» La peine de mort est non seulement contraire aux principes de la morale, elle est aussi la négation même du droit humain.

C'est la Famille Nouvelle qui établira l'équilibre social, elle réveillera les peuples, elle leur fera comprendre leur force, leur mission.

ROSMER. — Je veux faire comprendre au peuple sa vraie mission.

KROLL. — Quelle mission?

ROSMER. — Celle d'ennoblir tous les hommes.

KROLL. — Tous!

ROSMER. — Du moins, un aussi grand nombre que possible.

KROLL. — Par quels moyens?

ROSMER. — En affranchissant les esprits et en purifiant les volontés.

KROLL. — Tu veux les affranchir? Tu veux les purifier?

ROSMER. — Non, je veux seulement les réveiller. C'est à eux d'agir ensuite.

KROLL. — Et tu les crois en état de le faire?

ROSMER. — Oui.

KROLL. — Par leur propre force?

ROSMER. — Oui, par leur propre force. Il n'en existe pas d'autre; je veux faire appel à tous, tâcher d'unir les hommes en aussi grand nombre que possible. Je veux vivre et employer toutes les forces de mon être à ce but unique: l'avènement de la vraie souveraineté populaire.

Et c'est par amour qu'on réveillera les peuples! Car le sens moral du genre humain, c'est l'amour. Une seule larme de tendresse au bord de la paupière mi-close suffit pour purifier le coeur d'un homme. L'amour, c'est non point l'union des sexes, mais l'union des âmes; toute autre idée de l'amour en fausse la nature, l'affaiblit, la déprave.

L'âme humaine individuelle est complète par elle-même et n'a nul besoin d'un complément extérieur pour constituer sa personnalité. Mais à cause même de sa grandeur, elle est appelée à rayonner dans toutes les directions de la vie, à s'universaliser au moyen de l'amour. C'est par amour que tout être humain est appelé à conserver et à épurer, à multiplier et à répandre les trésors de grâce et de tendresse déposés par la nature au coeur de chacun et destinés à atteindre de nouveaux développements. L'esprit de famille est la force créatrice de l'affection pure qui, établie entre les êtres de sexe différent, s'étend à tous les êtres humains.

C'est la toute-puissance de l'amour de la famille, âme éternelle de l'univers, qui conduit à l'amour de l'humanité.

CONCLUSION

I

Les idées d'Ibsen sont-elles originales, sont-elles bien à lui? En France, on veut voir les origines et les racines de son théâtre dans le romantisme français. M. Jules Lemaître revendique nettement pour George Sand la paternité des idées du poète norvégien. D'ailleurs, le très subtil auteur des *Contemporains,* avec une franchise que l'on souhaiterait souvent voir appliquée aux autres domaines, avoue qu'il critique et compare les auteurs d'après «des lectures forcément un peu lointaines et sur les images simplifiées qui, d'elles-mêmes, à la suite de ces lectures, se sont déposées en lui».

M. G. Larroumet ne nie pas l'influence du romantisme français sur l'auteur de *Brand,* mais plus bienveillant pour lui que M. Jules Lemaître, il constate que «le caractère de l'homme, l'état intellectuel et moral de son pays, la marche de la littérature européenne semblent avoir contribué à cette oeuvre dans des proportions à peu près égales».

Or, pour avoir le coeur net, M. Georges Brandès demanda à Ibsen s'il avait subi l'influence de George Sand: «Je déclare sur mon honneur et ma conscience, répondit celui-ci, que jamais de ma vie, ni dans ma jeunesse, ni plus tard, je n'ai lu un seul livre de George Sand. J'ai commencé une fois la lecture de *Consuelo* en traduction, mais l'ai mis tout de suite de côté, parce que ce roman me parut le produit d'un dilettantisme philosophique. Il est possible qu'en cela je me sois trompé, mais je n'en avais lu que quelques pages.»

Cela ne diminue point l'influence de l'auteur d'*Indiana* sur les écrivains européens. Elle fut immense. A certaine époque on disait: «le siècle de George Sand» comme on disait: «le siècle de Byron ou de Hugo.» Henri Heine trouve que les écrits de Sand «incendièrent le inonde entier, illuminant bien des prisons, où ne pénétrait nulle consolation; mais, en même temps, leurs feux pernicieux dévorèrent les temples paisibles de l'innocence».

Le biographe russe de George Sand, Mme Tsebrikov, prétend que toute la génération russe des années 1830-1840 a grandi sous l'influence de Sand.

«George Sand, écrivit en 1876 Dostoïevsky, est l'un des esprits qui prévoient un meilleur avenir pour l'humanité. J'eus pour elle une grande admiration dans ma jeunesse, ses romans me servaient d'école démocratique. Son influence sur mon développement intellectuel fut énorme.»

M. Emile Faguet, pour trancher le grave problème de l'influence de Sand sur Ibsen, remarque avec beaucoup de justesse que si le poète Scandinave n'a pas lu l'auteur de *Lélia*, cela ne prouve pas qu'il n'en ait pas connu l'esprit. Il est certain qu'on peut connaître, subir et répéter les idées de penseurs dont on ignore les oeuvres. C'est une des manifestations de la loi générale des choses que M. Tarde appelle *Répétition universelle*. La science de la vie se compose de la répétition incessante des mêmes cellules, se groupant sous diverses apparences et se reproduisant à l'infini, depuis le jour où la vie est apparue dans le monde. Cette répétition se réalise dans tous les ordres de faits. Dans le monde purement physique, ce sont les vibrations lumineuses, calorifiques, etc., qui se répètent. Dans le monde organique, il y a la répétition héréditaire et dans le monde social, la répétition imitative. Les lois de cette *Répétition universelle* que Tarde applique surtout aux phénomènes sociaux peuvent absolument être appliquées au monde des idées. Tout se répète dans la vie, dans le domaine des abstractions comme dans le domaine des réalités, dans le monde des faits comme dans celui des pensées. Cependant, pour adapter une idée, la répéter et la faire sienne, il faut en avoir déjà porté en soi les germes. La matière capable de développer ces germes est puisée généralement à la source la plus proche. Or, le penseur danois Soren Kjerkegaardoffrait à Ibsen une source d'idées qui répondait à merveille à son propre tempérament, à ses tendances, à ses aspirations. Si Ibsen a subi l'influence de quelqu'un, c'est à coup sûr celle de Kjerkegaard.

«Le monde nouveau découvert par Kjerkegaard était une idée: l'individu. Ce fut le diamant précieux qu'il offrit à son temps. En une époque où régnait la doctrine du juste milieu, c'était grand et noble de lancer le mot «l'individu» et de vouloir convaincre le monde que la race dégénérée pouvait, grâce à l'individu, redevenir une humanité sincère.»

Cette théorie est la base même de l'oeuvre d'Ibsen. Mais s'il a pris chez Kjerkegaard le principe de ses drames, il ne l'a pas répété servilement, il l'a élargi, l'a développé, l'a vivifié, lui a communiqué la forte originalité de son esprit, la vivacité de son imagination poétique et la profondeur de son *moi*.

«Il n'arrive rien de nouveau dans le monde et pourtant rien ne s'y répète, car notre vision change et modifie le sens de nos actes. Un même acte se transfigure quand notre oeil régénéré s'ouvre à une vision nouvelle.» Nous ignorons les origines de l'univers, nous ne pouvons jamais savoir au juste à quel champ d'idées nous avons glané, à qui attribuer la paternité de telle ou de telle pensée, ni qui de qui subit l'influence. Qui jamais nous dirait sur quel point du globe la pensée s'est montrée pour la première fois et à quelle distance de nous dans la suite des siècles! La pensée, c'est l'âme humaine à travers la sublime grandeur de la nature et des âges.

Il est aussi impossible de rechercher les influences sous lesquelles Ibsen a conçu son théâtre, s'il dérive de George Sand ou de Kjerkegaard, qu'il serait téméraire de déterminer l'école à laquelle il appartient. A force de classer les écrivains, les penseurs, les artistes, les hommes politiques, par groupes, écoles, partis, chapelles, on oublie souvent d'étudier leurs idées, leurs oeuvres. Qu'importe aux ouvriers, aux misérables qui meurent de faim, que les ministres soient pris dans le centre ou dans l'extrême-gauche, si leur condition reste la même? Que nous importe à quelles écoles appartenaient les Platon, les Spinoza, les Michel-Ange, si l'influence de leurs oeuvres est immense? «Qu'est-ce que des écoles en comparaison des peuples! Elles ne comptent pas, pour ainsi dire, dans l'histoire de l'humanité, et c'est une délicate affaire d'érudition que de constater leurs noms et les phases de leur existence. Une doctrine philosophique n'a de valeur réelle que pour celui qui se l'est faite, et pour ceux qui veulent bien la lui emprunter. Ils sont toujours en une minorité imperceptible, parce que la gloire de la philosophie est ailleurs que dans la multitude de ses adhérents.» Il est tout à fait impossible de classer Ibsen au point de vue de ses idées. L'homme étrange qui exerce une influence puissante sur la pensée moderne et sur la vie morale de l'Europe entière, n'appartient à aucune école;

comme Brand, il est *lui-même*. La philosophie de son théâtre est bien sienne. D'après Sénèque, philosopher, c'est apprendre à mourir. Pour Ibsen, philosopher, c'est apprendre à vivre. Vie, rêve, réalité, désir, vision, amour, joie, souffrance, tous les ressorts de l'âme humaine sont synthétisés chez lui en: Volonté, Idéal, Bonheur.

Qu'est-ce que le bonheur? Bien des gens ne savent pas distinguer le plaisir du bonheur; le plaisir n'est pas un élément essentiel du bonheur. «Le bonheur, dit Rosmer, c'est la pureté de conscience, ce sentiment qui donne à la vie un charme inexprimable, le plus calme, le plus joyeux de tous.»

«Conscience! conscience! instinct divin, immortelle et céleste voix, guide assuré d'un être ignorant et borné, mais intelligent et libre; juge infaillible du bien et du mal, qui rend l'homme semblable à Dieu! C'est toi qui fais l'excellence de sa nature et la moralité de ses actions; sans toi je ne sens rien en moi qui m'élève au-dessus des bêtes, que le triste privilège de m'égarer d'erreurs en erreurs à l'aide d'un entendement sans règle et d'une raison sans principe.»

Le bonheur vrai et durable est un état permanent de l'âme, résultant d'une conscience pure, dépendant en grande partie de la volonté et plus indépendant des circonstances que ne le croit le vulgaire. Le bonheur existe; comme la pensée, il n'a pas besoin de palais: l'âme humaine lui suffit. L'homme le plus heureux est celui qui ne se rend pas compte de son bonheur.

II

«Si savantes et si profondes que puissent être les spéculations morales, elles ne sont vraiment dignes de ce nom que si elles aboutissent à des conclusions très simples, propres à être offertes à toutes les intelligences et à toutes les volontés.»

Se posséder pour se donner, telle est la formule simple qui ressort de l'oeuvre d'Ibsen. L'homme le plus pauvre est celui qui ne se possède pas. Se posséder pour se donner, telle est la loi morale et sociale de l'activité humaine. Ce n'est pas là le principe de l'individualisme. Il serait donc faux de dire qu'Ibsen est individualiste. Le mot «individualisme» ne peut être appliqué à sa façon de comprendre la vie, les hommes et les choses. Seul le mot allemand «Selbstbewusstsein» l'exprime peut-être assez exactement. Ibsen ne défend pas l'individualisme, mais l'individualité; ce sont là deux termes presque opposés l'un à l'autre. L'individualisme rapporte tout à soi; l'individualité consiste seulement à vouloir être soi afin d'être quelque chose, à réaliser, sous une forme individuelle et par là même avec plus d'énergie, les caractères généraux de l'humanité. Être individuel, c'est être *soi-même*, c'est être propriétaire de ses opinions, de ses sentiments, de tout son être, au lieu d'en être simplement locataire.

D'après Ibsen, pour affronter l'orage dont le grondement se rapproche d'heure en heure, pour résoudre plusieurs de ces innombrables questions qui se posent toujours plus impérieusement à l'homme qui veut le bien de tous, autant que son bien propre, il est de plus en plus évident qu'il faut commencer par l'individu; c'est l'individu affranchi, libre, ayant conscience de sa volonté, de ses droits et de ses devoirs, qui entreprendra une réforme profonde de la société.

Le poète Scandinave peut dire avec Vinet: «C'est dans l'intérêt de la société que je plaide pour l'individualité. Je veux l'homme complet, spontané, individuel, pour qu'il se soumette en homme à l'intérêt général. Je le veux maître de lui-même, afin qu'il soit mieux le serviteur de tous. Je réclame sa liberté intérieure au bénéfice de la puissance qui prétend s'imposer à elle. La justice et la raison, lois universelles, sont les souveraines dont l'individualité doit assurer et relever le triomphe.»

Nous sommes non seulement des exemplaires de l'humanité, d'une nation, d'une famille, nous sommes, avant tout, *des hommes*; chacun de nous a son individualité non seulement native, mais voulue, acquise, morale et intellectuelle. L'homme n'est pas tout entier dans l'individu, il n'est complet que dans l'individu associé à la grande famille humaine. Mais l'homme, ayant conscience de lui-même, s'associe plus consciemment à l'humanité. Plus notre individualité se précise, s'accroît, plus elle profite non seulement à nous, mais à tous. Plus il y a dans une société d'hommes libres, instruits et moraux, plus cette société est libre, instruite et morale. Une société, d'où l'individualité est bannie, n'est pas sociale, n'est pas humaine: elle ignore les principes mêmes du Souverain Bien. «Le bien général n'est *général* que parce qu'il embrasse le bien de tous les individus sans exception, — autrement il ne serait que le bien d'une majorité. Certes, il ne s'ensuit pas que le bien général soit la simple somme arithmétique de tous les intérêts particuliers pris séparément, ni qu'il embrasse la sphère de liberté illimitée de chaque individu, ce qui, à son tour, serait une contradiction, car ces sphères pourraient s'entrenier et le font effectivement.»

Or, en limitant, fidèle à son principe, les tendances et intérêts individuels, le bien général ne peut supprimer l'homme libre, sujet du droit souverain, en lui enlevant la possibilité d'agir librement. Par son idée même le bien général embrasse aussi le bien de l'individu, et quand il le prive de la liberté d'action, ce bien général fictif cesse d'être un bien pour lui et, descendant du général au particulier, il perd le droit d'entraver la liberté personnelle.

La personnalité humaine doit être sacrée. «Quiconque, dit Lacordaire, excepte un seul homme dans la réclamation du droit, quiconque consent à la servitude d'un seul homme blanc ou noir, ne fût-ce que par un seul cheveu de sa tête injustement lié, celui-là n'est pas un homme sincère et ne mérite pas de combattre pour la cause sacrée du genre humain.»

Non moins sacrée est la liberté de l'individu. Il a le droit de dire: «Je veux m'associer à la société non parce qu'elle me l'ordonne, mais parce que ma conscience, ma volonté, mon intelligence, ma pensée, me le commandent.»

Comme la science, les aspirations humaines n'ont pas de limites; comme toute découverte scientifique en engendre une nouvelle, toute aspiration humaine satisfaite en appelle une autre; savoir toujours davantage, pouvoir toujours davantage, c'est là la grandeur de l'homme, c'est là la source du vrai progrès, c'est là l'idéal, et personne n'a le droit de le limiter. Si la morale prescrit souvent à l'homme de se vaincre, elle ne lui ordonne jamais de se mutiler. Il faut que l'homme reste lui-même. «Plus l'individu se perfectionne, plus il est lui-même, plus étroitement il s'unit à l'humanité. Chacun de nous doit en réfléchir en lui-même les douleurs, les progrès, les espérances. Au terme, chacun de nous retrouvera dans sa propre conscience l'histoire entière de l'humanité. Aussi dans la nature, l'individualité semble être une forme suprême, dans l'histoire, une transition et un moyen. Elle est la manière de passer de l'unité abstraite, inorganique, purement naturelle, à une unité concrète, organique et libre. L'unité sentie et voulue, l'unité sociale en un mot, telle est la seule forme de vie qui convient à la créature dont l'essence est liberté. Obstacle et moyen à la fois, parce que le mal l'a souillée, dans sa signification primitive et pure, l'individualité est un moyen d'atteindre l'unité libre, l'unité vraie, l'unité voulue, l'unité morale, l'unité de la communion, et pour tout dire en un mot: l'amour!»

Tant que les consciences individuelles ne seront pas prêtes à recevoir la Vérité, à comprendre la Justice, aucun renversement de gouvernement, aucun changement d'écoles, d'idées, ne servira à rien. C'est la conscience individuelle qu'il faut délivrer, c'est la conscience individuelle qu'il faut rendre apte à concevoir l'Idée de la solidarité humaine.

L'oeuvre d'Ibsen n'est pas anti-sociale. Elle se résume dans les paroles de Kant: «N'agis que selon la maxime qui puisse devenir règle universelle. Agis de sorte que soit en toi, soit chez les autres, tu traites l'humanité comme but et jamais comme moyen.»

Toucher aux mensonges, démontrer leurs effets désastreux et en chercher le remède ne peut pas être considéré comme oeuvre anti-sociale. La lutte du pauvre contre le riche, du faible contre le fort n'est pas la lutte du droit individuel contre le droit social, mais la revendication du droit à l'existence contre l'usurpation de ce droit.

-A son insu, qu'il le veuille ou non, qu'il y consente ou non, l'auteur de cette oeuvre immense et étrange est de la forte race des écrivains révolutionnaires. Il va droit au but. Il saisit corps à corps la société moderne; il arrache à tous quelque chose, à ceux-ci un cri, à ceux-là un masque; il fouaille le vice, il dissèque la passion; il creuse et sonde l'homme, l'âme, le coeur, les entrailles, le cerveau, l'abîme que chacun a en soi....

Et tout cela au nom de la Vérité. Ibsen ne défend aucun parti. Il sert les adversaires de l'ordre social actuel autant que ses adhérents. Il ne cherche pas à faire prévaloir telle ou telle solution, mais à provoquer loyalement le libre jugement du lecteur. «Avec l'admirable honnêteté de son esprit et de son art, Ibsen laisse à chacun de nous la liberté de conclure selon la nature de son âme et de son intelligence, heureux seulement s'il fait vivre et travailler l'une et l'autre.» Farouche ou railleur, qu'il fasse saigner le ridicule, qu'il détruise un mensonge, qu'il dénonce une injustice, c'est toujours un cri franc et brave, plein de sentiments altruistes, plein aussi d'espérances de temps meilleurs.

Car Ibsen n'est pas pessimiste. «Ma pensée est amère quand elle n'est pas triste,» dit-il, mais cette amertume et cette tristesse sont des gouttes cristallisées dans l'atmosphère de l'exil. «Chaque goutte qui tombe de lui est lourde et forte comme une goutte d'élixir ou de poison,» mais toujours enivrante comme une goutte de parfum. Ibsen ne laisse jamais le spectateur ou le lecteur sous l'impression d'idées pessimistes. L'oeuvre du Solitaire Scandinave dit: «Il ne faut pas broyer du noir. Si la vie est mauvaise, il ne dépend que de nous de l'améliorer,» et elle nous en indique les moyens: la Liberté, la Volonté.

«JULIEN.—Pourquoi ai-je été créé?

LA VOIX.—Pour servir l'esprit.

JULIEN.—Quel est mon rôle?

LA VOIX.—-Tu dois fonder le règne universel.

JULIEN.—Et par quel chemin?

LA VOIX.—Par celui de la liberté.

JULIEN.—Et par quel pouvoir?

LA VOIX.—Par la volonté.»

Montrer aux hommes un avenir meilleur, c'est leur inspirer la volonté de le réaliser: c'est là la gloire d'Ibsen.

III

La société actuelle, malgré tous les progrès accomplis, n'est qu'un chaos où l'harmonie fait défaut; l'humanité est encore dans les limbes et à l'état rudimentaire, dans un état social incomplet et faux où la liberté et la justice n'existent pas. Des hommes y meurent de faim à côté des élégances portées à un raffinement de luxe inouï, le nombre des suicides et des victimes sociales, dits criminels, va en augmentant. Tout le monde sent que cet état de choses ne peut plus durer longtemps: un changement devient de plus en plus urgent. Dans son appel éloquent adressé à la bourgeoisie, Louis Blanc disait: «Une révolution sociale doit être tentée. L'ordre social actuel est trop rempli d'iniquités, de misères et de servitudes pour pouvoir durer longtemps. Il n'est personne qui n'ait intérêt, quelle que soit sa position, son rang, sa fortune, à l'inauguration d'un nouvel ordre social. Il est possible, il est facile même d'établir cette révolution pacifiquement.»

La vérité, même dure et pénible, est toujours plus salutaire qu'une erreur ou un mensonge agréable; jetée dans le courant des opinions et des moeurs, elle est discutée, propagée, vulgarisée, finit à la longue par pénétrer insensiblement les masses. Les vérités grandissent, se répètent et se complètent chaque jour; on finit par les entendre et les comprendre. L'appel de Louis Blanc, après plus d'un demi-siècle, commence à réveiller des consciences. Partout, dans tous les pays, dans toutes les classes, on sent le besoin de renouveler et d'élargir les principes dont on était depuis trop longtemps prisonnier. La société actuelle, existant encore sous le nom de civilisation, s'écroule de toutes parts: un cataclysme social devient inévitable. Les plus réfractaires eux-mêmes sont entraînés dans le tourbillon que soulève et agite le problème social. Pour secouer l'indifférence générale, il a fallu que la perception du péril devînt claire et saisissante. Tout le monde comprend aujourd'hui qu'il ne suffit pas d'ignorer un danger pour le conjurer et que le meilleur moyen de s'y soustraire est de le regarder en face et de prendre les mesures que suggère la raison. Une profonde révolution se prépare, elle est lente mais irrésistible, elle ronge les édifices déjà prêts à tomber.

Certes, les individus comme les nations croient toujours vivre à la fin d'un monde ancien et au commencement d'un monde nouveau.

Le présent pour chaque homme est une époque de transition. Mais nous assistons aujourd'hui effectivement à une de ces phases de transformation si rares dans l'histoire du monde. «Il n'a pas été donné à beaucoup de philosophes, durant le courant des âges, de vivre au moment précis où se formait une idée nouvelle et de pouvoir, comme aujourd'hui, étudier les degrés successifs de sa cristallisation.»

Le dénouement du grand drame social qui se joue sous nos yeux est peut-être prochain. Les vieilles formes n'existent plus, et le retour aux Religions du passé est impossible.... Loin, à l'horizon, on voit déjà poindre l'aube d'une Religion Nouvelle: *le Socialisme.* Les petits et les humbles, les déshérités et les victimes de la société actuelle, tous ceux qui peinent et souffrent, tournent leurs regards vers cette aube lointaine, et ils croient y voir des rayons d'Espoir.... Et l'aube grandit, et sa lumière augmente....

La religion définitive de l'humanité sera la conscience individuelle: nul besoin de Gouvernement ni d'Etat. Le socialisme n'est qu'une étape très avancée, nous conduisant vers cet Idéal. Son rôle n'en est pas moins très grand. Il est impossible à l'heure actuelle de ne pas se rendre compte des proportions immenses de son développement.

Les idées socialistes sont discutées maintenant comme dignes de considération, non seulement dans les cercles politiques, mais dans tous les milieux.

Et le socialisme, comme toute Vérité Nouvelle, s'avance encore lentement: «La vérité ne peut faire vite son chemin; ses pas seraient trop peu sûrs s'ils étaient rapides. Tout est faible à l'origine. Le nombre des apôtres est toujours bien petit, non pas seulement parce que les apôtres sont exposés à être des martyrs, mais parce que la lumière, quand elle se lève, n'est jamais aperçue que par quelques yeux.»

En Allemagne, le parti socialiste comptait, en 1894, 1 600 000 voix; en 1898, il en réunit 2 600 000. En France, les socialistes avaient obtenu en 1889, 91 000 voix; en 1893, ils en ont réuni 600 000 et en 1898 près de 800 000.

Au moment même où nous écrivons ces lignes une union profonde, franche et solide succède aux dissentiments qui divisaient divers groupes socialistes. Cette union rendra le socialisme français plus fort, plus puissant. Sans décider si le socialisme est ou non la solution des problèmes urgents de l'humanité souffrante, il faut être aveugle pour ne pas voir que les idées socialistes qui montent, sont des forces vivantes, appelées à jouer un rôle considérable dans la transformation de la société qui se prépare.

L'idée sociale pénètre partout, elle éveille, elle fortifie les aspirations. Les espérances qu'on fonde sur le socialisme font naître de grands devoirs pour ceux qui le mènent. L'heure est décisive. Il faut qu'ils évitent, dès leur premier pas, toute équivoque. C'est une erreur que de se dire: il faut aimer ce qu'on a quand on n'a pas ce qu'on aime. Il faut que les socialistes rejettent la vieille formule qui gouvernait jusqu'à présent le monde: «Ote-toi, que je m'y mette», et que tout dans leur action soit franc, net et clair. La science de la répression est au bout de son rouleau, et ce n'est pas la Force que les socialistes doivent considérer, comme «accoucheuse des sociétés», mais la Solidarité. La solidarité n'est possible qu'entre égaux. Ni préjugés, ni passions, mais la Raison, la Justice et l'Egalité doivent être les armes du socialisme. Il ne doit être ni une formule, ni un parti, mais un principe. Il ne doit être ni Allemand, ni Français, ni Russe, mais simplement humanitaire. Son rôle, c'est d'établir l'égalité sociale de tous les êtres, quelle que soit leur origine, leur race, leur sexe. «Tant que le cosmopolitisme ne sera pas, le régime socialiste est impossible à établir.» C'est vers le cosmopolitisme, vers l'universalisme que le socialisme doit viser. Qu'il se dépouille de son caractère étroit de secte ou de parti, qu'il apparaisse à tous comme le réveil de l'humanité souffrante.

Si le socialisme est l'opposé de l'individualisme, il ne doit pas exclure l'*individualité*. Ne rejetons pas de la conception sociale de la vie humaine l'idée de l'individualité consciente. Si l'objet de la conscience est l'unité, la société, l'humanité; l'individualité est la forme de la conscience, la forme de la volonté, la forme de l'homme.

La suppression de la personnalité implique la suppression de la conscience individuelle, sans laquelle il n'y a point de conscience nationale, de conscience humaine.

Laissons l'homme évoluer indépendamment. La perte de la personnalité est plus grave que la perte de la vie.

La justice du socialisme doit être égale pour tous les individus sans aucune exception, cette justice doit être idéale et supérieure, qui donnerait à chacun au moins un minimum de bien-être et de bonheur. L'humanité ne peut avoir d'autre loi que celle de la Justice. «La justice est le seul critérium vrai dans l'application des choses humaines. La justice est le ferment du corps social.»

Le socialisme, comme l'économie politique, sans justice, sans morale, est une chimère. La justice ne doit oublier personne, ni celui qui peine, ni celui qui pense, ni le mineur enfoui sous le sol qui, privé de la lumière du jour et des gais sourires du soleil, expose sa vie au feu du grisou, à l'éboulement des rocs; ni le laboureur courbé sur son dur sillon, au front baigné de sueurs; ni le proscrit qui ne sait où reposer sa tête douloureuse. Un peu plus de tendresse aussi pour ceux qui planent dans les hautes régions de la science, pour ceux qui cherchent à résoudre des problèmes divers, qui méditent sur les droits, les devoirs, le but de notre existence, qui cherchent la réalisation du Beau et du Vrai. N'épuisons jamais leur courage. Eloignons d'eux tout obstacle capable de ralentir leur libre développement, laissons-les se recueillir en paix, ne troublons pas leur repos; leurs pensées font naître des étincelles qui illuminent souvent l'humanité entière.

Que les socialistes travaillent, agissent sans trêve, qu'ils préparent les voies de l'Avenir, qu'ils se disent avec Oernulf:

«Ne tiens pas de discours inutile, mais que tout ce que tu diras soit tranchant comme la lame d'une épée»; et qu'ils n'oublient jamais les maximes de Brand: «Qui veut vaincre ne doit pas céder. Si tu donnes tout, excepté ta vie, sache que tu n'as rien donné.»

IV

Pour être juste, il faut dire que le mot «socialisme» ne se trouve nulle part dans l'oeuvre d'Ibsen, mais il en est l'aboulissant logique et naturel. Ibsen se contente de faire le procès de la société actuelle, de nous faire voir que la civilisation n'est pas encore une réalité, qu'elle n'est qu'une promesse. L'esprit humain n'a pas encore pris possession de lui-même, la justice n'est pas encore de ce monde. A mesure que l'empire de la force brutale diminuera, les idées humaines de justice et d'équité grandiront, la génération future en verra peut-être l'avènement.

«A mesure que se poursuivra notre évolution, nous verrons plus clairement combien nous sommes encore loin de la réalisation de cet idéal d'égalité dans les conditions sociales de la lutte. Les générations futures se rappelleront avec surprise, et peut-être avec un sourire, notre idéal d'un état de société: des conditions permettant de tirer tout le fruit possible de la libre compétition.»

Soyons sincères avec nous-mêmes et avec les autres, éclairons les hommes, proclamons les droits, réveillons la dignité humaine, cherchons la Vérité, partout, en tout et toujours, ne craignons pas la lumière, semons les idées, semons les enthousiasmes. Les idées sont comme des grains confiés à la terre; elles n'attendent que la rosée et le rayon du soleil pour germer.

«Il n'y a pas d'abîme entre le penser et l'action, du moins pour ceux qui ne sont pas habitués à la sophistique. La conception est déjà un commencement d'action.»

Que d'utopies, depuis que le monde existe, devenues, grâce à l'évolution, des réalités!

«L'évolution s'est faite, la révolution ne saurait tarder. Le jour viendra où l'Evolution et la Révolution, se succédant immédiatement, du désir au fait, de l'idée à la réalisation, se confondront en un seul et même phénomène. C'est ainsi que fonctionne la vie dans un organisme sain, celui d'un homme ou celui d'un monde.»

L'humanité appelle des hommes vigoureux qui aident l'évolution, qui préparent la révolution. A l'oeuvre, si nous ne nous sentons pas dégénérés; unissons-nous, mettons en commun nos idées, nos forces, combattons pour la vérité, pour le bonheur. «L'unisson doit servir les plus nobles besognes et les devoirs les plus élevés.»

Travaillons tous au rajeunissement, au grand principe de l'unité humaine, réveillons les courages, éveillons les espérances.

«L'espérance est une loi primitive de la raison; la logique l'impose, la vie l'exige. C'est par elle seule que l'esprit s'achève en faisant du monde un tout, dont les désaccords mêmes rentrent dans l'universelle harmonie, c'est par elle seule que tout se tient et se concilie, que l'âme s'apaise à la paix universelle, que tous les éléments de l'esprit et des choses s'unissent pour composer un monument grandiose dont nous ne contemplons pas la majestueuse ordonnance, nos yeux étant trop faibles pour pénétrer l'infini de l'avenir et embrasser l'immensité d'un regard, mais dont nous suivons les colonnes qui s'élèvent, les arceaux qui s'inclinent, les lignes qui toutes montent d'un même élan pour se rencontrer et s'unir dans des hauteurs éternellement sereines.» Travaillons et espérons que tôt ou tard, l'heure sublime parviendra où selon l'expression d'Isaïe «les fers de lance seront transformés en socs de charrue», travaillons à l'épanouissement suprême de la Vérité, au rayonnement de la bonté parfaite et de l'amour universel. La fin de ce monde ancien ne doit être que l'aurore d'un monde rajeuni et le chaos des idées où se trouve la fin de notre siècle, doit être le berceau d'une ère nouvelle. «Dans ce désert sans fin, des palmiers courbés par un vent furieux et jetant de longues ombres noires, je sens des flots qui se soulèvent, je sens une aurore qui naît. Déjà s'éveillent toutes les pensées, toutes les actions à venir. Il y a des souffles, des tressaillements. L'heure de la renaissance a sonné. Et j'entends des murmures: C'est l'heure de naître et de créer!»

A l'oeuvre!

Milton Keynes UK
Ingram Content Group UK Ltd.
UKHW050913260923
429409UK00010B/677

9 791041 837205